Bud Powell & Oscar Peterson 연주곡 분석에 나타난 예술 세계

버드 파웰, 오스카 피터슨
재즈 연주 연구

김혜정 저

김혜정

저자는 백석예술대학교 음악과에서 클래식피아노를 선공하였다. 변화하는 음악 분화에 맞춰 숙명여자대학교 음악치료대학원에서 음악치료, 음악심리학 과목을 이수하였다. 이어 경복대학교와 백석콘서바토리 실용음악과에서 재즈피아노를 전공하였고, 이후 백석대학교 음악대학원에서 음악교육학 석사(우수상 졸업)를, 그리고 동대학 기독교전문대학원에서 《버드 파웰, 빌 에번스, 오스카 피터슨의 재즈 연주 특징 연구》로 음악학 박사학위를 받았다. 저자는 30년 이상 음악학원을 운영하며 제자들을 양성하였고 교회 반주자로 활동하였다. 이러한 저자의 경험과 연구를 바탕으로 후학들에게 도움이 되고자 본 저서를 집필하였다.

저서: 빌 에번스 재즈 연주 연구

E-mail: piano5704@hanmail.net

버드 파웰, 오스카 피터슨 재즈 연주 연구

발   행 | 2024년 3월 20일
저   자 | 김혜정
펴낸이 | 한건희
펴낸곳 | 주식회사 부크크
출판사등록 | 2014.07.15.(제2014-16호)
주   소 | 서울특별시 금천구 가산디지털1로 119 SK트윈타워 A동 305호
전   화 | 1670-8316
이메일 | info@bookk.co.kr

ISBN | 979-11-410-7722-8

www.bookk.co.kr
ⓒ 김혜정 2024

머리말

본 저서는 버드 파웰, 오스카 피터슨의 대표적인 연주곡을 각각 5곡씩 선정하여 분석을 통해 음악 연구에 도움이 되고자 하였습니다. 파웰과 피터슨은 자신들만의 개성적 연주 스타일을 나타냈습니다.

파웰은 자신만의 음색과 리듬으로 화음을 모호하게 사용하였고 화려한 선율의 아름다움을 논리적으로 표현하였습니다. 자신의 재즈 음악에 그 시기에 없었던 새로운 코드, 선율과 리듬을 만들어 기존에 화성 반주 위주로 사용되었던 피아노를 화려한 솔로 연주로 탈바꿈하는 전환점을 만들어냈습니다.

피터슨의 연주는 타악기적인 강한 터치감과 감각적인 조화로 명확한 스윙과 선명한 발라드 선율을 표현하는 특징을 지닙니다. 그의 솔로 연주는 빠른 스케일과 아르페지오를 즉흥적으로 연주할 때 선명한 선율과 화성의 무게감 있는 터치 그리고 기교적이고 인상적이며 극적인 면을 나타냈습니다.

본 저서의 파웰과 피터슨 연주곡 분석을 통해 그들의 연주곡 구조와 조직적인 개념을 이해하고 활용하는 데 도움이 될 것입니다. 이 책은 재즈 연주자들과 학생들을 지도하는 교육자와 음악을 공부하는 학생들에게 깊은 이해를 제공할 것입니다.

2024년 2월 27일
김혜정

목 차

표 목차

악보 목차

I. 서론

재즈는 흑인의 민속 음악과 유럽 음악적 틀에 아프리카의 리듬과 화성, 아프리카계 미국인 특유의 감성이 혼합되어 탄생한 예술 음악 형식이다. 재즈 음악은 악기 편성과 선율, 리듬과 어법, 음향에 있어서 블루스 화성의 요소, 래그타임, 뉴올리언스 재즈, 스윙, 비밥, 모던재즈, 프리재즈, 퓨전재즈, 신고전주의로 발전하였다.[1) 이 중 스윙과 비밥의 즉흥연주 스타일은 모던재즈의 기반이 되었으며 시대적인 변화의 과정에서 예술성이 높아진 재즈 음악으로 발전하게 되는 기초가 되었다. 1930-1940년대 재즈는 스윙에서 비밥으로 그리고 1950년대 쿨재즈와 하드 밥으로 나뉘어 발전하였다. 1960년대 재즈는 이전에 나온 재즈 음악의 종합적 집합체이며 이에 대한 새로운 시대의 해석이라 할 수 있다. 스윙과 비밥은 시대적인 변화에서 예술성을 높인 재즈 음악의 발전을 가져왔다.

본 연구에서는 동시대 재즈 피아니스트를 선정하여 그들의 연주기법과 연주방식을 알아보고자 한다. 대상은 버드 파웰(1924-1966), 오스카 피터슨(1925-2007)이다. 이 연주자들을 선정한 이유는 두 연주자 모두 재즈 발전에 지대한 공헌과 각기 본인만의 독특한 연주 스타일을 추구하였기 때문이다.

먼저 버드 파웰은 비밥 피아니스트로서 섬세하고 화려한 스케일로 연주하였고 피아노 트리오 형식을 정착시켰다. 또한 혁신적인 연주로 현대 포스트 밥 재즈의 발전에 크게 기여하였다. 그는 독주할 때 왼손으로 코드를 이루어 베이스 음을 치면서 두세 음의 코드에 싱코페이션을 넣어 긴 멜로디라인을 자유롭게 연주할 수 있는 기법을 만들어 연주하였다. 이 기법은 1960년대까지 재즈 피아노의 기본적인 연주법이 되었다. 그는 음악 활동 기간 동안 스튜디오 레코딩 21개, 라이브 및 홈 레코딩 33개의 음반을 남겼다. 1966년 재즈 전문지 "다운비트"는 그를 명예의 전당에 헌정했다. 이러한 점을 높이 사 1986년에 베르트링 타베르니에 감독이 파웰의 삶을 다룬 영화〈라운드 미드나잇〉(Round Midnight)을 제작하였다.[2)

오스카 피터슨은 변화하는 다양한 문화적 배경과 역사적 맥락에 대한 융통

---

1) Joachim Ernst Berendt,『재즈 북』, 한종현 역 (서울: 더이룸출판사, 2017), 24-93, 275-342.
2) 정윤수,『20세기 인물 100과 사전』, (제주: 숨비소리, 2008), 200.

성으로 음악적 요구에 따라 자신의 연주 스타일을 혁신적으로 변화시켰다. 이것은 음악가들이 개인의 예술성을 높게 연주하는 것보다 앙상블의 사운드를 우선시하여 청중과 교감할 수 있는 기본 교훈을 상기시켜 주는 연주였다. 그는 모던재즈의 전통보다 다양한 재즈에 대한 욕구가 더 많았던 음악가로 이러한 그의 음악 스타일은 후대에 많은 영향을 미치고 있다. 그는 음악 활동 기간 동안 그래미상 7개와 그래미 평생 공로상을 받았다. 200개 이상의 앨범 발표, 300개 이상의 작곡, 재즈 음악사적으로 탁월한 테크닉과 스윙 리듬감으로 빠르고 명확한 선율, 간결한 리듬으로 대중과 함께 교감하는 연주를 하였다.

본 연구는 파웰, 피터슨의 연주곡과 원곡 비교를 통하여 그의 연주 패턴과 리하모니제이션을 통한 보이싱, 선율과 리듬 등의 연주기법을 분석하였다. 이를 통해 파웰과 피터슨의 음악에 나타나는 그들만의 창의적인 혁신을 연구하여 음악연주의 지평을 넓히고자 한다. 연주곡 분석은 화성, 보이싱, 선율과 리듬의 변형이 연주자의 스타일과도 서로 유기적 관계를 맺고 있어 종합적으로 보았다. 따라서 본 연구에서 재즈 솔로 피아노 분야의 '거장' 2인의 연주곡 분석을 통해 음악 연구에 도움이 되고자 한다. 또한 파웰과 피터슨의 재즈 연주곡 분석은 저자의 박사논문에서 연구되었던 부분을 추가하여 구성하였다.

Ⅱ. 버드 파웰의 음악적 배경과 연주곡 분석

1. 생애와 음악적 배경

얼 루돌프 파웰(Earl Rudolph Powell, 1924-1966)[3]은 1924년 9월 27일 뉴욕에서 태어났다. 그는 5살부터 클래식 피아노를 공부한 신동이었으며 10살이 되자 공개적으로 클래식 레퍼토리를 연주하고 지역 잼 세션에 참여하였다. 15세에 파웰은 전문 음악가가 되기 위해 학교를 그만두었다. 그는 뉴욕 전역 Playhouse)에서 연주할 때 피아니스트 델로니어스 몽크를 만났고, 몽크는 파웰에게 도전적인 작곡을 제공하였다. 1943년까지 파웰은 트럼펫 연주자 쿠티 윌리엄스(Cootie Williams)의 빅 밴드와 섹스텟에서 연주하였고 다음 해에 윌리엄스와 함께 첫 녹음을 하였다. 1940년대 후반에서 1950년대 초반에 파웰이 트리오와 함께 연주했을 때는 상업적인 방송 녹음에서 알 수 있듯이 그의 연주는 놀라울 정도였다. 불행히도 1950년대 중반이 되자 알코올 문제로 연주가 매우 불규칙해졌으며 공개적인 모습도 산발적으로 이루어졌다. 1959년 파웰은 파리로 이사했고 베이시스트 피에르 미켈로(Pierre Michelot)와 드러머 케니 클라크(Kenny Clarke)와 함께 블루 노트 나이트클럽에서 연주하며 5년 반 동안 그곳에 머물렀다. 파웰은 때때로 전성기 때처럼 연주에 임했으나 그의 팬들은 그가 전성기를 지나고 있음을 인식하면서도 대단한 존경심을 가지고 대했다. 1963년 중반 파웰은 프랜시스 파우드라스(Francis Paudras)라는 열성적인 프랑스 팬이었던 젊은 상업 예술가를 만났다. 파우드라스는 파웰이 결핵에 걸렸다는 사실을 알게 되어 그의 치료를 도왔고 파웰이 1950년대 초반에 눈부신 공연을 하였던 뉴욕과 버드랜드로 돌아갈 수 있도록 일조하였다. 파웰은 처음에는 좋은 반응을 얻었으며 팬들의 기대에 부응했으나 그의 플레이는 곧 변덕스러워졌고 관중들의 초기 열정도 시들해졌다. 그 후 몇 차례의 콘서트를 가졌지만 관중들은 곧 무관심해졌으며 간 기능 저하로 1966년 7월 31일에 사망했다.

---

3) Gene Rizzo, *Bud Powell*, Biography, (Milwaukee: Hal·Leonard Corporation. n.d.). 5.

2. 녹음앨범

버드 파웰이 남긴 녹음앨범은 재즈 연주자들의 창작과 연주 활동에 지침이 되고 있다. 그의 음악 활동 기간 동안 재즈 피아노는 버드 파웰 전과 빌 에번스 이후의 스타일로 나뉠 정도로 파웰이 재즈 피아노에 끼친 영향이 막강하다. 당시 파웰의 연주는 이전에 사용하던 스트라이드 왼손 주법보다 오른손의 선율에서 기교를 발휘하는 전환점이 되었다. 파웰은 비밥의 색소폰 연주자 찰리 파커의 연주와 비슷한 반음계적인 빠른 선율을 자유롭게 구사하며 당시 피아노 연주에서 선구자로 우뚝 서게 되었다. 파웰이 비밥의 전통적인 피아노 스타일을 개척하고 발전시킨 것은 재즈 음악사적으로 중요한 전환점이 되었다. 본 연구의 부록에 스튜디오 레코딩 21개, 라이브 및 홈 레코딩 33개, 주목할만한 음반 7개, 파웰의 앨범 목록 총 61개를 첨부하였다.

3. 연주곡 분석

파웰의 연주곡 분석을 통해 그의 음악이 어떤 특징으로 나타나는지 알아볼 것이다. 분석할 다섯 곡은 〈Celia〉, 〈A Night in Tunisia〉, 〈It Could Happen to You〉, 〈April in Paris〉, 〈Un Poco Loco〉이다. 이 순서대로 분석하고자 한다.[4]

---

4) 본 연구의 기보는 다음과 같은 기준으로 정리되었다. 첫째, 즉흥연주 시 원곡의 코드와 비교하여 코드가 확장되거나 다른 코드가 사용된 부분은 바뀐 코드를 분석하여 표기함으로써 연주자 자신의 색깔로 즉흥연주 하는 것을 알 수 있도록 하였다. 즉 원곡에 나오는 코드들은 연주자에 의해 다양하게 변형되었다. 둘째, 분석 시 경우에 따라 실선 브래킷(solid bracket)과 점선 브래킷(dotted bracket), 실선 화살표(solid arrow)와 점선 화살표(dotted arrow)를 사용하였다. 이에 따라 근음이 완전5도 하행하거나 혹은 반음 하행하는 경우 이에 맞는 각각의 브래킷과 화살표로 분석하였다. 또한 코드 스케일에서 대부분의 다이어토닉 코드는 제외하되 필요한 경우에만 스케일의 명칭을 표기하였다.
① 실선 브래킷을 하는 3가지 조건: 앞에 오는 코드는 m7 혹은 m7(^{b}5) 코드이어야 하고, 앞의 코드에서 뒤에 나오는 코드의 근음까지 완전5도 하행해야 하며, 뒤에 나오는 코드는 dom7 코드이어야 한다.
② 점선 브래킷을 하는 3가지 조건: 앞에 오는 코드는 m7 혹은 m7(^{b}5) 코드이어야 하고, 앞의 코드에서 뒤에 나오는 코드의 근음까지 단2도 하행해야 하며, 뒤에 나오는 코드는 dom7 코드이어야 한다.

<표 1> 버드 파웰 연주 1-5곡

연주곡	연주형식	음악 구분
〈Celia〉	AABA	Med. Up Swing
〈A Night in Tunisia〉	AABA	Funk-Riff
〈It Could Happen to You〉	ABAB′	Ballad
〈April in Paris〉	ABCA′	Ballad
〈Un Poco Loco〉	AABA	Fast Latin(Afro-Cuban)

1) 〈실리아〉 (Celia)

(1) 구조 분석

---

③ 실선 화살표를 하는 2가지 조건: 앞에 오는 코드는 dom7 코드이어야 하고, 앞의 코드에서 뒤에 나오는 코드의 근음까지 완전5도 하행해야 한다.
④ 점선 화살표를 하는 2가지 조건: 앞에 오는 코드는 dom7 코드이어야 하고, 앞의 코드에서 뒤에 나오는 코드의 근음까지 단2도 하행해야 한다.
⑤ 세컨더리 도미넌트, 도미넌트 얼터드, 씨메트릭 도미넌트, 서브스티튜트 도미넌트, 디미니쉬드 세븐스, 씨메트릭 디미니쉬드 세븐스, 모드 스케일 등이다.
*분석에 등장하는 여러 가지 코드는 다음과 같다. 다이어토닉 세븐스 코드 (7개): I maj7, IIm7, IIIm7, IVmaj7, V7, VIm7, VIIm7(^{b}5) ‖ 세컨더리 도미넌트 세븐스 코드 (5개): V7/II, V7/III, V7/IV, V7/V, V7/VI ‖ 서브스티튜트 도미넌트 세븐스 코드 (6개): subV7, subV7/II, subV7/III, subV7/IV, subV7/V, subV7/VI ‖ 자주 사용되는 모달 인터체인지 코드 (14개): I m7, ^{b}IImaj7, IIm7(^{b}5), ^{b}IIImaj7, IVm7, IV7, $^#$IVm7(^{b}5), Vm7, V7(^{b}9,^{b}13), Vmaj7, ^{b}VI7, ^{b}VImaj7, ^{b}VII7, ^{b}VIImaj7 ‖ 디미니쉬드 세븐스 용법: 어센딩 4개, 디센딩 2개, 보조적 2개 등이다. 이 외에도 연주자마다 약간의 변화를 주기도 하고 창의적으로 만들어 사용하기도 하였다.

<표 2> <Celia> 구조 1-80마디

<Celia> 5) / B♭장조		
형식	마디의 구성	비고
인트로	1-8	*Ⅰ/5(B♭/F), subⅤ7(B7/F) 코드의 4번 반복으로 도미넌트 페달톤(D.P) → 8마디 동안 지속

*79마디 첫째 박 Ⅰmaj7로 마친 후에 두 번째 코드 Ⅲm7, 80마디 Ⅱm7(♭5)-♭Ⅱm7(♭5)로 곡을 마침 |
A	9-16	
A	17-24	
B	25-32	
A	33-40	
간주	41-48	
A	49-56	
A	57-64	
B	65-72	
A	73-80	

이 곡은 파웰이 작곡한 곡이다. 그는 조지 거쉰(George Gershwin, 1898-1937) <I Got Rhythm>의 짧은 인용구를 자신의 작곡에 재즈 전통의 지식과 자신의 연주 스타일에 녹여 반복적인 경쾌한 리듬으로 만든 것이 특징이다.

<Celia> 형식에서 구조는 확장이나 축소 없이 각 섹션이 8마디로 이루어졌다. 아래 <악보 1> - <악보 5>를 통해 고찰된 부분들은 다음과 같다.

---

5) (http://www.marscodigennaro.com/Transcr/PDF/BUD_POWE.pdf).
   Marco Di Gennaro, Trascrizione. (accessed October 02, 2020).

(2) 화성 분석

〈악보 1〉 〈Celia〉 1-8마디

인트로 1-8마디에서 Ⅰ/5(B♭/F), subⅤ7(B7/F) 코드 두 개로 4번 반복 화성 진행하였으며 도미넌트 페달이 8마디 동안 진행되었다. 또한 4마디와 8마디 오른손에서 클러스터 보이싱을 사용하여 색다른 음색을 만들었다. B7/F은 B♭ 장조의 5음(F) 도미넌트 페달이 진행되는 가운데 B7의 5음(F#), ♭7음(A), 근음(B) 세계로 선율에 근음을 포함한 클러스터 보이싱이 사용되었다.

<악보 2> <Celia> 9-16마디

　9-16마디는 코드톤을 쌓은 4노트 보이싱, 코드톤에서 3음을 뺀 화음을 사용하였다. 또한 왼손에서 ♩의 「3」, ♪의 「3」 잇단음을 선율에서 여러 번 사용하여 리듬의 변화를 가져왔다. 오른손의 선율에 따라 왼손의 컴핑이 다르게 연주되었는데 주로 첫 박과 셋째 박에서 컴핑한 것을 위의 악보에서 볼 수 있다. 16마디 왼손에서는 F7 코드에서 ♭9, 3, #11음 세 개로 만든 근음이 없는 클러스터 보이싱이 사용되었다. 또한 9·11마디에서 모르덴트(⁀) 꾸밈음이 선율에 포함되고 13-14마디에서 반음계적인 잇단음을 연속하여 세 번 사용한 것을 볼 수 있다. 당시 파웰은 이러한 연주방식으로 선율을 꾸며 특징적인 음색으로 만들어 연주한 것을 볼 수 있다.

<악보 3> <Celia> 25-32마디

　　B부분에서는 A부분과 달리 25마디 VIIm7(♭5)는 완전 5도 아래에 오는 세컨
더리 도미넌트 세븐의 릴레이티드 Ⅱm7으로 이중 기능을 하였다. 31마디의
Ⅱm7(♭5)는 인터폴레이티드 Ⅱm7(♭5)로써 세컨더리 도미넌트와 프라이머리
도미넌트 사이에 위치하여 프라이머리 도미넌트를 꾸미기 위함이다. 비밥 피
아니스트로 최고의 연주자였던 파웰은 그 당시에도 곡을 꾸미기 위해 이러한
화성 기법을 사용했었다는 것을 알 수 있다. 왼손 화음은 코드톤에서 근음과
♭7음을 사용한 2노트, 근음과 3음, 근음과 6음, 10도 음정에 ♭5음을 추가한 형
태의 화음을 사용하였다.

〈악보 4〉 〈Celia〉 41-48마디

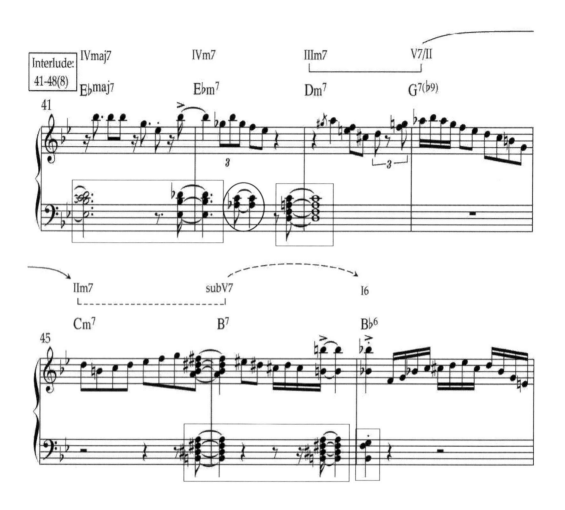

41-48마디 간주 부분에서 분석내용을 보면 연속하여 세컨더리 도미넌트와 서브스티튜트 도미넌트를 사용하여 완전5도와 반음 하행한 것을 볼 수 있다. 악센트를 사용하여 그 음을 강조하였으며 스타카토와 악센트를 동시에 사용하여 강하고 선명한 음으로 들리도록 연주하고 싱코페이션을 사용하여 강약의 위치를 바꿔서 연주하였다. 또한 잇단음과 쉼표를 넣어 리드미컬한 느낌이 들도록 만들었다. 위의 악보에서처럼 그는 왼손에서의 보이싱은 코드톤과 sus4·13음, 1·5·7음, 1·5·6음을 사용하였다.

<악보 5> <Celia> 77-80마디

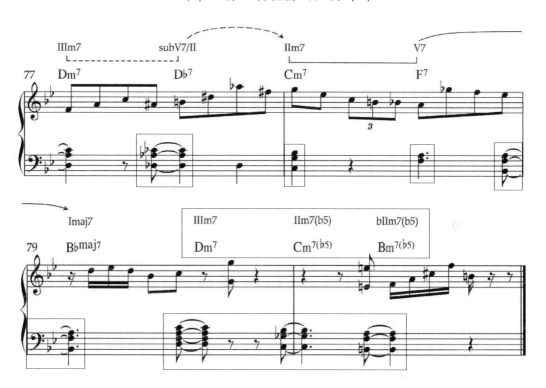

77-80마디는 13-16마디와 같은 위치이다. 77-79마디 둘째 박까지 코드 진행은 Dm7, D♭7, Cm7, F7, B♭maj7이며 13-15마디에서는 Dm7, D♭m7, Cm7, B7, B♭maj7 코드를 순서대로 진행하였다. 이 진행의 중간에 D♭m7을 D♭7으로 B7을 F7으로 코드를 바꿔 사용하였다. 엔딩(ending) 부분에서는 79마디 셋째 박부터 Ⅲm7, Ⅱm7(♭5)인 ♭Ⅱm7(♭5)로 곡을 마쳤고 16마디는 두 번째 A부분 첫마디로 턴(turn)하기 때문에 Ⅱm7(♭5)인 Cm7(♭5), V7인 F7의 화성으로 진행 방향을 바꿔 연주하였다. 78-79마디 둘째 박까지의 진행은 Ⅱ m7-V7-Ⅰmaj7으로 곡을 마친 것 같으나 다음 코드는 Ⅲm7으로 진행하고 80마디 Ⅱm7(♭5)-♭Ⅱm7(♭5)는 코드의 근음을 D, C, B로 순차 진행하였다. 77-80마디부터 근음이 D, D♭, C, F, B♭, D, C, B로 진행된 것을 보면 단2도, 단2도, 완전4도, 완전5도, 장3도, 장2도, 단2도로 진행한 파웰의 화성 진행 패턴을 볼 수 있다. 곡의 끝부분을 다르게 화성 진행한 부분에서는 파웰이 정확한 종지를 하지 않은 그의 방식을 엿볼 수 있다.

(3) 화성 진행과 리하모니제이션

<표 3> 〈Celia〉 화성 진행과 리하모니제이션

〈Celia〉 1-80마디, B♭장조 - 스윙(Swing) 파웰 연주곡에 나타난 화성 진행과 리하모니제이션 인트로 1-8, A-A-B-A(각각 8마디), 간주 41-48마디	
화 성	원곡과 조성의 변화가 없으나 논다이어토닉 코드 사용으로 조성이 모호함
	Ⅰ/5(B♭/F), subⅤ7(B7/F)의 코드 두 개로 4번 반복하는 동안 도미넌트 페달 (D.P)톤이 1-8마디에서 사용하였다.
	* related Ⅱm7 → 도미넌트 세븐의 앞에 위치하는 완전5도 위나 단2도 위 related Ⅱm7 자리에 온 코드 Ⅱm7, Ⅱm7(♭5), Ⅲm7, Ⅶm7(♭5)이 14, 16, 22, 25, 31, 38, 42, 47, 49, 58, 59, 60, 62, 65, 70, 71, 77, 78마디에서 자주 사용 되었다.
	E♭m7은 분석하면 Ⅳm7인데 related Ⅱm7으로 사용될 때 분석하지 않는다. * Ⅳm7은 에올리안 스케일의 4번째 모달 코드가 사용되었다. 코드의 구성음 은 E♭, G♭, B♭, D♭ → 3, 6, 7음에 플랫을 붙여 임시표로 사용하였는데 20, 76 마디에서 사용되었다.
	Ⅱm7-subⅤ7, subⅤ7/Ⅵ의 진행이 여러번 사용되었다. * subⅤ7은 반음 하 행하려는 규칙을 가지고 있으나 다른 길로 진행할 때 괄호를 한다.
	Ⅶm7(♭5)-Ⅴ7/Ⅵ, Ⅱm7-Ⅴ7, Ⅱm7(♭5)-Ⅴ7의 진행이 여러번 사용되었다. * 세컨더리 도미넌트나 프라이머리 도미넌트는 완전5도 하행하고자 하는 성 질을 가지고 있으나 다른 길로 진행할 때 괄호를 했다.
	78-80마디 Ⅱm7-Ⅴ7-Ⅰmaj7으로 곡을 마치고 다시 Ⅱm7-Ⅱm7(♭5)-♭Ⅱ m7(♭5)으로 곡을 마치는 것은 파웰의 독특한 연주 스타일이다.
	* 세컨더리 도미넌트, 서브스티튜트 도미넌트, 모달 인터체인지 코드를 사용 하였다.
보 이 싱	* 위에 제시된 악보를 보면 1·3음, 1·5음, 1·6음, 1·7음, 3·5·7음, 1·3·5·7음, 코드톤에서 3음을 뺀 1·5·7, 1·5·6, 1·4·6 음으로 만든 보이싱, 위에 제시하지 않은 악보에서도 볼 수 있는데 10도 음정 사이에 완전5도, 증4도 추가한 화

	음을 사용하였다. *4, 8마디에서 오른손의 클러스터 보이싱이 사용되었다. * 16마디 왼손에서 근음이 없는 ♭9, 3, #11음으로 음 3개로 만든 클러스터 보이싱이 사용되었다. 42마디 E♭m7에서 1·5·7음으로 된 컴핑한 다음 sus4·13음을 사용하기도 하였다.
선 율 & 리 듬	* ♩의 「³⌐, ♪의 「³⌐을 선율에서 여러번 사용하여 리듬의 변화를 가져왔고 오른손의 선율에 따라 왼손의 화음과 컴핑이 다르게 연주된다. * ♪의 「³⌐ = (𝄾♪)을 연주할 때도 𝄾의 다음에 오는 ♪에 악센트를 넣어 박의 변화를 주므로 원곡과 다른 느낌으로 연주하였다. * 오른손에서는 왼손의 긴 베이스음 위에 중간에 라이트 컴핑을 하여 연주의 감각을 높여 연주하였으며 왼손 컴핑은 주로 첫째 박과 셋째 박 또한 78마디와 같이 정박에 연주하기도 하였다. * 선율과 리듬이 동시에 연주되기도 하지만 오른손과 왼손에서 싱코페이션을 사용하여 서로 다른 리듬으로 박의 변화를 주었다. * 테누토를 사용하여 그 음을 확실하게 인식할 수 있도록 연주하였다. * 왼손에서 단선율로 연주할 때는 오른손에서 클러스터 보이싱으로 컴핑을 연주하기도 하였다. * 선율과 리듬을 동시에 강조할 때는 양손이 동시에 악센트와 싱코페이션을 넣어 연주하였다. * 쉼표를 넣어 박자의 흐름에 신선함을 만들고 긴 싱코페이션으로 컴핑한 왼손 리듬의 잔향, 쉼표로 움직임의 여백을 주었다. * 선율에 앞 꾸밈음, 악센트, 테누토, 싱코페이션을 넣어 박의 변화와 박의 위치를 바꿔 생기있는 음색으로 만들었다.

(4) 원곡과 비교분석

원곡[6] 〈Celia〉는 Bud powell(1924-1966))의 곡이다. 〈악보 6〉의 원곡 분석을 보겠다.

---

6) 원곡 1-5곡 - The Real Book에 나오는 Standard Jazz 곡을 사보 프로그램으로 사보하고 그 곡의 구조와 분석 기호를 넣어 표시하였다.

〈악보 6〉 〈Celia〉 원곡 1

2

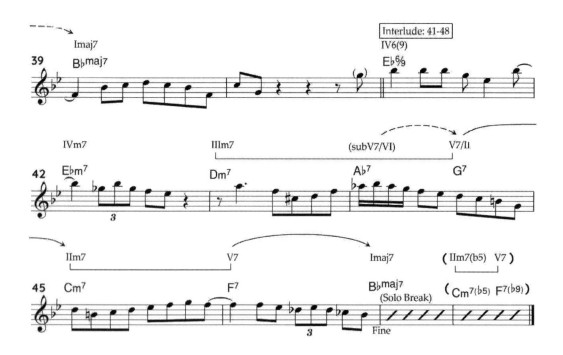

아래 〈표 4〉는 위에서 분석한 〈Celia〉의 헤드 1을 도식화한 표이다.

〈표 4〉 〈Celia〉 원곡과 비교분석

〈Celia〉 1절(1st Chorus) 헤드(Head) 1 / A, A, B, A				
	파웰 원곡7) 〈B♭장조〉		파웰8) 연주곡 〈B♭장조〉	
형식	마디	분석 기호	마디	분석 기호
인트로	1-8	I maj7(B♭maj7)	1-8	I /5(B♭/F)
		sub V 7(B7)		sub V 7/F(B7/F(D.P))
		I maj7		I /5
		sub V 7		sub V 7/F
		I maj7		I /5
		sub V 7		sub V 7/F
		I maj7		I /5
		sub V 7		sub V 7/F

A	9-12	I maj7	9-12	I (B♭)	
		II m7(♭5)		II m7(♭5)	
		III m7		III m7	
		릴레이티드 II m7, (sub V 7/VI)		IV m7	
	13-16	III m7, ♭III m7	13-16	III m7, ♭III m7	
		II m7, sub V 7		II m7, sub V 7	
		I maj7, VI m7		I maj7	
		II m7(♭5), V 7		II m7(♭5), V 7	
A	17-20	I maj7	17-20	I maj7	
		II m7(♭5)		II m7(♭5)	
		III m7		III m7	
		IV m7, (sub V 7/VI)		IV m7, (sub V 7/VI)	
	21-24	III m7, ♭III m7	21-24	III m7, ♭III m7	
		II m7, sub V 7		II m7, sub V 7	
		I maj7		I maj7, I /5	
		I maj7		I 6	
B *25-32 마디 익스텐디드 도미넌트 진행	25-28	(3)분석하면 (V 7/VI)D7	25-28	VII m7(♭5)	
		✕		V 7/VI	
		분석하면 (V 7/II)G7		VI m6	
		✕		✕	
	29-32	분석하면 V 7/V (C7)	29-32	V /V	
		✕		✕	
		V 7(F7)		II m7(♭5)	
		✕		V 6	
A	33-36	I maj7	33-36	I maj7	
		II m7(♭5)		II m7(♭5)	
		III m7		III m7	
		릴레이티드 II m7, (sub V 7/VI)		IV m7	
	37-40	III m7, ♭III m7	37-40	III m7	
		II m7, sub V 7		II m7, sub V 7	
		I maj7		I maj7	
		✕		I 6	
* 간주	41-44	IV6(9)	41-44	IV maj7	

솔로 브레이크 (47-48)		IVm7		IVm7	
		IIIm7		IIIm7	
		(subV7/VI), V7/II		V7/II	
	45-48	IIm7	45-48	IIm7	
		V7		subV7	
		I maj7		I 6	
		IIm7(♭5), V7(♭9)		∥.	

리듬	미디엄 스윙(Med. Up Swing) ♩의 ⌐3¬ 잇단음 여러번 사용	미디엄 스윙- 약 박에 악센트 ♩의 ⌐3¬과 ♪의 ⌐3¬의 잇단음 사용으로 다양한 리듬, 컴핑-첫 박과 셋째 박
스케일	도리안, 로크리안, 리디안 ♭7, 믹소리디안, 디미니쉬드 세븐	도리안, 로크리안, 리디안 ♭7, 믹소리디안, 디미니쉬드 세븐
코드 변주	다이어토닉·논다이어토닉 코드톤과 텐션	코드톤(1, 3, 5, 7)으로 만든 코드, 코드톤에서 3음을 뺀 코드(1·5·6, 1·4·6, 1·6 음으로 만든 보이싱 * 근음이 없는 ♭9, 3, 11음으로 음 3개로 만든 클러스터 보이싱, 전위 코드, 논다이어토닉 코드톤과 텐션 사용으로 선율과 리듬 변형
페달링	연주자 임의대로	도미넌트 페달(D.P), 이외 임의대로
표현	인트로 1-8마디, 41-46마디 간주, 47-48마디 솔로 브레이크 연주	인트로 1-8마디, 41-46마디 간주, 47-48마디 솔로 브레이크 연주, 싱코페이션, 악센트, 테누토, 꾸밈음(모르덴트, 홑 앞 꾸밈음(♪)) 사용

원곡-파웰곡 B♭장조, 1-48마디, 인트로: subV7(B7), I maj7(B♭maj7) 코드의 4번 반복 8마디 동안 지속, 형식: A, A, B, A로 각각 8마디, A부분 I maj7(B♭maj7)으로 시작, B부분은 (3)음부터 시작하는 익스텐디드 도미넌트 세븐이 연결

파웰의 연주곡 B♭장조, 1-80마디, 인트로: I/5(B♭/F), subV7(B7/F) 코드의 4번 반복으로 F의 도미넌트 페달톤(D.P) → 8마디 동안 지속, 형식: A, A, B, A로 각각 8마디, A부분 I(B♭)으로 시작, B부분은 VIIm7(♭5)으로 시작, 끝부분 A에서 I6(B♭6) 코드로 시작

2) 〈튀니지의 밤〉 (A Night in Tunisia)

(1) 구조 분석

〈표 5〉 〈A Night in Tunisia〉 구조 1-108마디

〈A Night in Tunisia〉 9)/ F장조			
형식	마디의 구성	마디 수	비고
인트로	1-4	4	* sub V 7/VI, VIm7 2번 반복
A	5-12	8	* sub V 7/VI, VIm7 3번 반복
A	13-20	-	* 49-52마디→V sus4(Solo Break)
B	21-28	-	
A	29-36	-	
간주	37-52	16	
A	53-60	8	
A	61-68	-	
B	69-76	-	
A	77-84	-	
A	85-92	-	
B	93-100	-	
A	101-108	-	

---

7) The Real Book에 나오는 Standard Jazz, 26.
8) 마르코 디 제나로(Trascrizione: Marco Di Gennaro)
9) David Joseph DeMotta III, "The Contributions of Earl 'Bud' Powell to The Modern Jazz Style", Doctor of Philosophy, The City University of New York, 2015, 201-206. (*D. DeMotta, *Bud Powell*, 1951, Transcription).

(2) 화성 분석

〈악보 7〉 〈A Night in Tunisia〉 9-12, 21-24마디

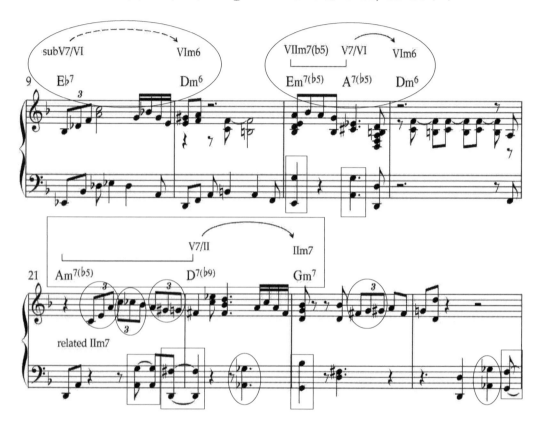

　9-10마디 E♭7-Dm6의 코드 진행은 1-4마디에서도 두 번 반복하여 인트로
를 연주하였고 A부분 5-6, 7-8, 9-10마디에서 반복하는 진행을 하였다. 21마
디에서 Am7(♭5)는 V7/Ⅱ의 릴레이티드 Ⅱm7(♭5) 코드로 사용되었는데 왼손
에서는 10도 음정, 근음과 ♭7음, D7(♭9)의 3음(G♭=F#)과 #11(A♭=G#)음으로 화
음을 만들어 사용하였다. 23마디 Gm7 코드가 진행되고 25마디 Gm7(♭5)로
진행하였다. Gm7(♭5)로 진행하는 왼손 근음과 ♭7음의 2노트 보이싱이 21·22·24
마디에서도 사용하였다. 21마디와 23마디에서는 ♩의 「3」 잇단음을 사용하여
선율과 리듬에 변화를 주었다. 첫 번에 나온 잇단음 외에는 반음계적 선율로
뒤에 나오는 음과 연결하는 연주를 하였다.

<악보 8> 〈A Night in Tunisia〉 37-40, 45-52마디

37마디 Ⅶm7(^{b}5)는 11마디와 같은 코드이지만 서브스티튜트 도미넌트 세븐 인 E^{b}7의 반음 위에 오는 코드로 반음씩 하행하였다. 이는 앞에서도 나왔던

코드 진행으로 파웰의 연주에서 완전5도와 반음 하행하는 두 가지 방식의 화성 진행을 볼 수 있다. 45-47마디 Ⅱm(maj7)인 Gm(maj7) 다음에 같은 G음의 마이너 코드인 Gm7으로 진행한 것과 Gm7에서 G♭7으로 반음 하행한 진행이다. 이 진행은 멜로딕 마이너 메이저 세븐의 진행에서 마이너 세븐으로 진행하여 코드를 약간씩 변화하고 G♭7으로 반음 하행한 파웰의 특징적인 화성 사용을 볼 수 있다. 47마디의 셋째 박과 48마디 오른손 첫 번째와 두 번째 보이싱에서 선율 음이 한 옥타브 아래로 더블링 된 락드 핸즈 보이싱이 사용되었고 사이사이에 옥타브 간격의 유니즌으로 연결되었다. 49-52마디까지 4마디 동안 Csus4 한 개의 코드 스케일과 아르페지오로 솔로 브레이크를 연주하였다. 왼손 보이싱은 3·♭7음, 근음·♭7음, 10도 음정으로 된 화음, 10도 음정에 ♭7음을 추가한 화음을 사용하였다. 또한 옥타브를 누르고 중간에 완전5도를 누르면 나머지 음정은 자연히 완전4도가 되는 블록 코드를 왼손에 사용하고 오른손의 보이싱을 동시에 연주하여 확고하고 강하게 들리는 사운드로 연주하였다.

이 곡을 전체적으로 보면 화성 진행과 선율에서 코드 스케일에 텐션을 사용하였고 코드는 같은데 선율의 스케일과 리듬은 다르게 연주하였다. ♩의 ⌜3⌝, ⌜5⌝, ⌜7⌝, ♪의 ⌜3⌝ 잇단음과 싱코페이션 사용으로 선율과 리듬에 다양한 변화를 주었다. 또한 여러 가지 꾸밈음과 스윙, 스트레이트 연주라는 획기적인 변화로 펑크 리프를 연주하여 당시 음악팬들에게 상당한 감동을 주었다. 이 곡은 아프로큐반 리듬을 기반하여 빠른 리듬으로 곡의 긴장감과 흥분감을 주는 것이 특징이다.

(3) 화성 진행과 리하모니제이션

〈표 6〉〈A Night in Tunisia〉화성 진행과 리하모니제이션

	〈A Night in Tunisia〉 1-108마디, F장조 파웰 연주곡에 나타난 화성 진행과 리하모니제이션	
화 성	펑크 리프(Funk riff) -일정한 패턴 반복 형태	
	원곡과 연주곡의 조성의 변화가 없다.	
	* 9-10마디 subⅤ7/Ⅵ-Ⅵm7은 1-4마디에서도 두 번 반복하였는데 이와 같은 화성 진행은 A부분에서 5-6, 7-8, 9-10에서 진행되고 이와 같은 화성 진행은 A부분의 같은 위치에서 반음씩 하행하는 반복 진행을 하였다.	
	* B부분에서는 릴레이티드 Ⅲm7-Ⅴ7/Ⅱ-Ⅱm7, Ⅱm7(^{b}5)-Ⅴ7(^{b}9)-Ⅰmaj7의 진행을 같은 위치에서 진행되었는데 원곡에서는 이 진행 중간 한마디에 Ⅱm7-Ⅴ7이 사용되었다.	
	* 11-12마디 Ⅶm7(^{b}5)-Ⅴ7/Ⅵ-Ⅵm7의 진행에서 Ⅶm7(^{b}5)은 조성에서 나오는 코드로써 릴레이티드 Ⅱm7의 이중 기능으로 이와 같은 화성 사용은 A부분의 같은 위치에 사용되었다.	
	* 37-41마디 Ⅶm7(^{b}5)-subⅤ7/Ⅵ-Ⅵm7의 진행에서는 반음씩 하행하는 진행을 하였는데 Ⅶm7(^{b}5)은 조성에서 나오는 코드로써 릴레이티드 Ⅱm7의 이중 기능으로 이와 같은 화성 사용은 간주(interlude) 네 박자 동안 사용되었다.	
	* 45-47마디 Ⅱm(maj)7은 Ⅱm7이 정직하게 진행되는 앞에 Ⅱm(maj)7을 진행하였다. * 49-52마디 솔로 브레이크 연주에서 4마디 동안 코드 Ⅴsus4로 연주하였다.	
	* 세컨더리 도미넌트, 도미넌트 얼터드, 서브스티튜트 도미넌트, 멜로딕 마이너, 모달 인터체인지 코드 등을 사용하였다. * 조성에서 나올 수 있는 다이어토닉 코드와 조성에서 나올 수 없는 논다이어토닉 코드 사용으로 조성의 모호함을 가져왔다.	
보 이 싱	* 21, 23, 37, 39-40마디-10도 음정, 48마디-10도 음정에 7음 추가. 21, 46마디-근음과 ^{b}7음(2노트), 38마디-^{b}3음과 ^{b}7음(루트리스 2노트), * 38마디, 블록코드-옥타브에서 완전5도와 완전4도로 만들어진 코드를 사용하였다.	

선율&리듬	* 여러 가지 앞꾸밈음, 빠른 선율에서 모르덴트(ᵛ) 꾸밈음이 선율에 적용되어 나타났다. * ♩의 ⌜3⌝, ⌜5⌝, ⌜7⌝, ♪의 ⌜3⌝ 잇단음과 싱코페이션 사용으로 선율과 리듬에 다양한 변화를 주었다. * 컴핑-정박, 양손 싱코페이션 첫 박, 셋째 박, 넷째 박에 사용되었다.

(4) 원곡과 비교분석

원곡 〈A Night in Tunisia〉는 Dizzy Gillespie의 곡이다. 〈악보 9〉의 원곡 분석을 보겠다.

〈악보 9〉〈A Night in Tunisia〉원곡 2

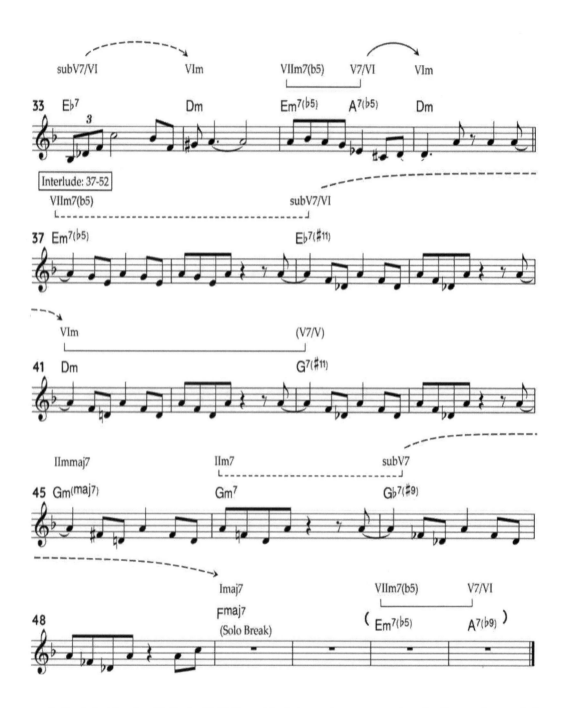

아래 〈표 7〉은 위에서 분석한 〈A Night in Tunisia〉의 헤드 1을 도식화한 표이다.

<표 7> 〈A Night in Tunisia〉 원곡과 비교분석

〈A Night in Tunisia〉 1절(1st Chorus) 헤드(Head) / AABA				
	원곡[10] 〈F장조〉		파웰[11] 연주곡 〈F장조〉	
형식	마디	분석 기호	마디	분석 기호
인트로	1-4	sub V 7/VI VIm6 sub V 7/VI VIm6	1-4	sub V 7/VI VIm6 sub V 7/VI VIm6
A	5-8	sub V 7/VI VIm6 sub V 7/VI VIm6	5-8	sub V 7/VI VIm6 sub V 7/VI VIm6
A	9-12	sub V 7/VI VIm6 VIIm7(^{b}5) V 7/VI, VIm	19-12	sub V 7/VI VIm6 VIIm7(^{b}5) V 7/VI, VIm6
A	13-16	sub V 7/VI VIm6 sub V 7/VI VIm6	13-16	sub V 7/VI VIm6 sub V 7/VI VIm6
A	17-20	sub V 7/VI VIm6 VIIm7(^{b}5) V 7/VI, VIm	17-20	sub V 7/VI VIm6 VIIm7(^{b}5) V 7/VI, VIm6
B	21-24	릴레이티드 m7(^{b}5) V 7/II IIm IIm7, (V 7)	21-24	릴레이티드 m7(^{b}5) V 7/II IIm7
B	25-28	IIm7(^{b}5) V 7(^{b}9) I 6 VIIm7(^{b}5), V 7/VI	25-28	IIm7(^{b}5) V 7(^{b}9) I maj7 V 7/VI
A	29-32	sub V 7/VI VIm6 sub V 7/VI VIm6	29-32	sub V 7/VI VIm6 sub V 7/VI VIm6
A	33-36	sub V 7/VI VIm6 VIIm7(^{b}5), V 7/VI VIm6	33-36	sub V 7/VI VIm6 VIIm7(^{b}5), V 7/VI VIm7

		Left			Right	
간주	37-40	VIIm7(♭5)		37-40	VIIm7(♭5)	
		./.			./.	
		sub V 7/VI			sub V 7/VI	
		./..			./.	
	41-44	VIm		41-44	VIm7	
		./.			./.	
		(V 7/V)			(V 7/V)	
		./.			./.	
	45-48	IIm(maj)7		45-48	IIm(maj)7	
		IIm7			IIm7	
		sub V 7			(sub V 7)	
		./.			./.	
Solo Break	49-52	I maj7		49-52	(V sus4)	
		./.			./.	
		VIIm7(♭5)			./.	
		V 7/VI			./.	
리듬	펑크 리프(Funk Riff) - 아프리카풍(Med. Afro) * ♩의 「3」, 반복이 많은 리듬			Funk Riff - Med. Afro * ♩의 「3」, 「5」, 「7」, ♪의 「3」 잇단음 * 반복이 많은 리듬		
스케일	리디안 ♭7, 도리안, 로크리안, 믹소리디안, 멜로딕 마이너 스케일			리디안 ♭7, 도리안, 로크리안, 믹소리디안, 멜로딕 마이너 스케일		
코드 변주	-VIm, -IIm 24마디 IIm7, V 7, 49마디 I maj7, VIIm7(♭5), V 7/VI			VIm → VIm6·VIm7 | IIm → IIm7 → 24마디 V 7 → 생략 → 49마디 (V sus4) 한 개의 코드 사용		
페달링	임의대로			임의대로		
표현	인트로 1-4마디 왼손 분산화음, 간주 37-48마디, 솔로 브레이크 49-52마디에서 연주			싱코페이션, 꾸밈음(홑앞꾸밈음(♪)), 3개의 음 혹은 4개의 음으로 꾸민 앞꾸밈음, 2개의 음으로 동시에 장2도 화음으로 시작하여 2개의 음을 연속하여 순차 진행한 슬라이드 형태의 꾸밈음, 모르덴트(˅), 턴꾸밈음(∾,∿), 간주, 솔로 브레이크, 스윙과 스트레이트로 연주		

---

10) Dizzy Gillespie, The Real Book - Standard Jazz I, 7.
11) D. DeMotta, *Bud Powell*, 1951, Transcription.

3) 〈당신에게 일어날 수 있는 일〉(It Could Happen to You)

(1) 구조 분석

〈표 8〉 〈It Could Happen to You〉구조 1-71마디

곡의 형식	마디의 구성	마디 수	비고
\<It Could Happen to You\> [12] / E^b장조 / 섞음 박자			
A	1-9	9	* 못갖춘마디: $V7(^\sharp11,^b9)$의 ♩의 「17」 잇단음 아르페지오 연주-인트로 형태 * 1절-4/4: 1-2마디, 3/4: 3마디, 4/4: 4-6마디, 2/4: 7-12마디, 5/4: 13마디, 2/4: 14마디, 4/4: 15-19, 3/4: 20마디, 4/4: 21-25, 7/4: 26마디, 4/4: 27마디, 5/4: 28마디, 4/4:29마디, 6/4: 30마디, 4/4: 31-33마디, 6/4: 34마디, 4/4: 35-36마디 * 2절-4/4: 37-61마디, 5/4: 62마디, 4/4: 63-69마디, 2/4: 70마디, 4/4: 71마디에서 섞음 박자 사용
B	10-20	11	
A	21-28	8	
B´	29-34	6	
솔로 브레이크	35-36	2	
A	37-44	8	
B	45-52	–	
A	53-60	–	
B´	61-68	–	
아웃트로	69-71	3	

(2) 화성 분석

---

12) Famous Music Corp., *Bud Powell*, ©1944 (Renewed 1971) (Milwaukee: Hal·Leonard Corporration. n.d.), 38-45.

〈악보 10〉 〈It Could Happen to You〉 1-9마디

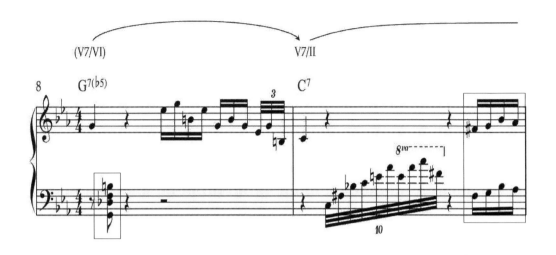

이 곡은 원곡에 없는 못갖춘마디를 2박자 동안 V7(^{b}9)의 아르페지오를 사용하여 인트로 느낌으로 연주하였다. 2마디 Gm7(^{b}5), 5마디 Am7(^{b}5), 6마디 B^{b}m7은 뒤에 오는 도미넌트 세븐을 꾸미기 위한 릴레이티드 IIm7으로 사용되었다. 이와 같은 진행을 매우 여러 번 사용하여 리하모니제이션 하였다. 또한 2·5·7마디에서 꾸밈음과 6마디 오른손 내성에서 알토 선율을 만들어 연주하였다. 1마디 왼손에서 지속음 위에 테너 라인의 선율로 다음에 나오는 베이스음과 순차적으로 연결되고 2·5마디 오른손에서도 지속음 위에 반음 하행하는 선율로 연결되는 것을 볼 수 있다. 그리고 못갖춘마디의 2분음표의 「17」 잇단음과 늘임표, 왼손의 1-3, 8-9마디에서 오른손 박자의 길이가 긴 음 혹은 쉼표 자리에 넓은 음역으로 아르페지오와 코드 스케일을 채워 연주하였다. 9마디 넷째 박에서는 양손이 명확한 유니즌으로 다음 마디 첫 박까지 연결하였다. 또한 ♪의 「3」, ♩의 「9」, 「10」 잇단음과 선율에 홑앞꾸밈음, 겹앞꾸밈음, 싱코페이션, 지속음을 사용하였다. 왼손은 근음과 ^{b}7음, 10도 음정, 옥타브로 연주한 것은 발라드곡의 선율이 돋보이도록 간결한 리듬으로 연주한 것을 볼 수 있다. G7(^{b}5)는 이명동음 G7($^\#$11)을 사용한 리디안 ^{b}7이 사용되었다. 또한 파웰은 연주곡의 조성에서 만들어진 다이어토닉 코드와 논다이어토닉 코드를 유기적으로 연결하는 화성 진행을 하였다.

<악보 11>　〈It Could Happen to You〉 11-23, 32-33마디

이 곡에서는 11마디 Ⅳm(maj7)을 연주 후 A♭m를 분석하면 모달 인터체인지 코드 Ⅳm이지만 여기서는 세컨더리 도미넌트의 릴레이티드 Ⅱm로 사용되었다. 또한 멜로딕 마이너 메이저 코드를 사용하고 이어지는 마이너 코드를 사용하였는데 이는 비슷한 코드를 연속하여 사용하여 원하는 사운드를 얻기 위함으로 보인다. 15마디에도 같은 맥락의 코드로 마이너 메이저 세븐인 Ⅵm(maj7) 코드를 의도적으로 연주 후 Ⅵm7을 사용한 것은 사운드를 풍성하게 만드는 파웰의 코드 사용의 한 방법으로 볼 수 있다. 12마디에서 선율 라인의 코드 3개가 완전4도 음정 간격으로 시작하고 베이스라인이 같은 방향으로 그 코드의 근음에서 장7도, 두 번째와 세 번째 코드는 단7도로 상행하고 있다. 이 진행은 내성에서 유니즌으로 ♩의 「3」 잇단음을 첫 박, 둘째 박까지 사용하고 셋째 박과 넷째 박은 8분음표로 반음씩 하행하는 진행이다. 13마디에서도 외성의 음 지속으로 내성의 선율이 유니즌으로 반음 하행 진행하는 것을 볼 수 있다.

15-16마디 첫 박까지 같은 음형의 리피티드 노트 형태로 연주하였으며 18마디 선율에서 4박자를 한 박자씩 단3, 장3, 단3도 간격으로 상행하는 화음 아래 왼손에서 ♩의 「3」 잇단음으로 간격이 같게 상행하는 방식으로 연주하였다. 17마디의 인터폴레이티드 Ⅱm7은 Ⅴ7/Ⅴ과 Ⅴ7사이에서 색다른 선율로 비교적 긴 2마디 동안 연주 후 뒤의 도미넌트 세븐을 꾸민 것은 파웰의 연주 방식으로 볼 수 있다. 19마디의 프라이머리 도미넌트 세븐(Ⅴ7)은 B♭7(♯5,♭9), B♭7(♭9), B♭13(♭9), B♭7(♭5,♭9), B♭7(♭9)으로 코드의 텐션과 구성음을 다르게 배치하여 연주 후 Ⅰmaj7으로 완전5도 하행하였다. 이와 같은 방식의 연주는 32마디 세컨더리 도미넌트 세븐 Ⅴ7/Ⅱ인 C7(♭9,♯11), C7(♭9), C7(♯5), C7(♭9), C7(♯5) 연주 후 완전5도 하행하여 Ⅱm7으로 진행한 것을 볼 수 있다. 여기서 선율라인과 테너 라인을 보면 중간에 오른손 D음과 왼손의 D♭음을 뺀 나머지 음이 더블링된 것을 관찰할 수 있다. 이것은 베이스에 근음이 지속되는 가운데 선율 음이 테너 라인에 더블링 되었고 다음은 쉼표 위에 락드 핸즈 보이싱이 사용된 것이다. 19마디 넷째 박부터 20마디 3/4박자로 변화된 마디의 3박자 동안 오른손 내성이 12마디에서 사용된 방식의 반대로 8분음표 4개가 2개로 ♩의 「3」 잇단음을 두 번 하행하는 방식으로 연주한 것 또한 파웰의 연주기법으로 볼 수 있다. 32마디 셋째 박부터 33마디 첫 박까지 락드 핸

즈로 연주하였는데 32마디에서는 테너 라인의 선율이 지속음 위에 스타카토
와 악센트를 넣어 구성음을 다르게 배치한 음들이 정확하게 들리도록 연주하
였다. 33마디 왼손에서 악센트 다음에 오는 음에 홑앞꾸밈을 넣어 단음으로
연주한 것 또한 파웰의 간결한 표현 방식으로 볼 수 있다.

〈악보 12〉 〈It Could Happen to You〉 34-36마디

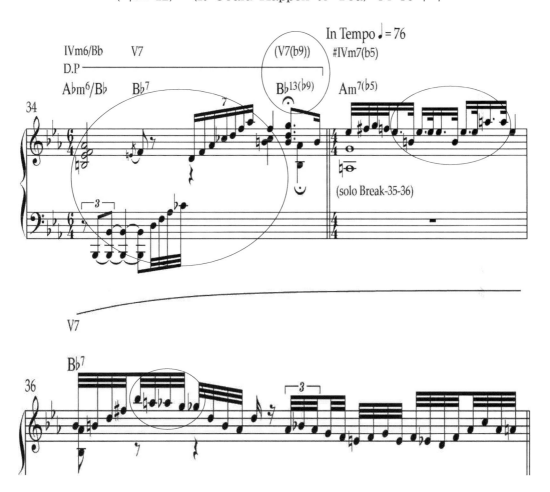

34마디와 66-67마디에서 도미넌트 페달 포인트(D.P), 65마디 8va를 사용하
여 넓은 음역으로 연주를 하였고 68-71마디에서도 토닉 페달 포인트(T.P)가
사용되었다. 34-36마디는 34마디 왼손에서 ♩의 「3」, 「7」 잇단음과 싱코페
이션으로 왼손의 선율이 유지되고 오른손 선율에 앞꾸밈음을 사용하여 조용

- 35 -

함에 작은 움직임을 부여하여 꾸몄다. 또한 왼손에서 오른손으로 연결된 아르페지오의 화려함을 4옥타브에서 늘임표로 부드럽게 반마침 하였다. 35-36마디 Am7(♭5) 코드 근음과 ♭7의 지속음과 선율에서 빠른 스윙 리듬을 사용하여 곡을 선명하게 연주하였고 프라이머리 도미넌트 세븐 코드의 아치 형태 선율로 반음계적인 스케일을 포함한 솔로 브레이크가 연주되었다.

<악보 13> <It Could Happen to You> 65-71마디

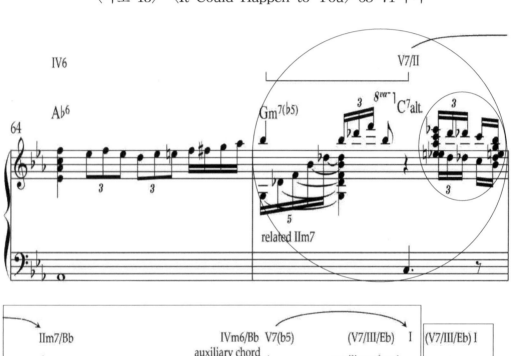

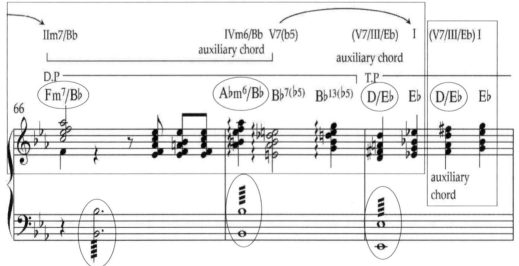

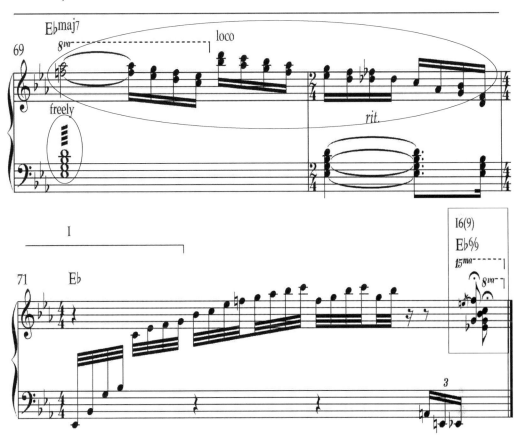

　　65마디 ♩의 「5」, ♪의 「3」 잇단음을 사용하여 3옥타브 음역의 피아노 건
반을 폭넓게 사용하였고 넷째 박에서는 ♪의 「3」 잇단음과 16분음표의 연결
에서 한 옥타브 선율이 왼손의 지속음 위에 유니즌으로 연주한 것을 볼 수
있다. 이 곡에서 ♩의 「3」, 「5」, 「7」, 「8」, 「9」, 「10」, 「11」, 「12」, ♪
의 「3」, 「5」, 「6」, ♪의 「3」, ♪의 「3」, ♩의 「3」 1번, ♩의 「17」 잇단음
을 사용하여 다양한 리듬으로 연주하였다.

　　66-69마디 왼손 코드는 트레몰로 주법으로 연주하여 엔딩으로 가는 극적인
효과를 주었고 69마디에는 3도 음정의 화음으로 순차적으로 하행하였다. 70
마디부터 점점느리게(리타르단도) 71마디까지 진행하는데 아르페지오로 상행
하는 마지막 부분에 I6(9)코드를 F음으로 연주할 수 있는 제일 높은 음의

선율로 홑꾸밈음과 양손이 동시에 연주를 마쳤다. 여기서 66-68마디 Ⅱm7-Ⅴ7-Ⅰ의 진행에서 보조적 코드가 3번 사용되었는데 67·68마디 첫 박에 오는 코드는 뒤에 오는 코드 B♭, E♭의 근음이 같은 코드로 진행한 보조적 코드이다. 68마디에서 셋째 박에 오는 보조적 코드는 Ⅰ(으뜸화음)과 Ⅰ사이에 오는 근음이 같은 보조적 코드를 두 번 사용하여 자연스러운 선율 형태로 연주하였다. 이 곡은 부분적으로 1옥타브(8va), 2옥타브(15ma) 올려서 음역을 넓게 사용하고 스케일과 아르페지오로 화려한 선율연주를 하였다. 이 또한 파웰의 발라드 연주 스타일로 볼 수 있다.

(3) 화성 진행과 리하모니제이션

〈표 9〉〈It Could Happen to You〉화성 진행과 리하모니제이션

〈It Could happen to You〉 파웰 연주곡에 나타난 화성 진행과 리하모니제이션	
1-71마디, E♭장조, 섞음 박자 (* 4/4박자로 시작한 못갖춘마디 2박자)	
화성	8-10마디 (Ⅴ7/Ⅵ)-Ⅴ7/Ⅱ-Ⅱm6(add maj7)의 특이한 진행
	11마디, Ⅳm(maj7)-Ⅳm-(subⅤ7/Ⅵ), 15, 30, 46, 62마디 Ⅵm(maj7)의 진행
	2, 5, 6, 13, 22, 30마디와 같은 모달 인터체인지 코드를 사용한 부분이 여러 번 나온다. 분석을 하면 ♯Ⅳm7(♭5), Ⅴm7, Ⅶm7, Ⅲm7(♭5), Ⅳm이다. 다이어토닉 코드에는 없는 코드들이다. ♯Ⅳm7(♭5)은 리디안의 4번째, Ⅴm7은 에올리안의 5번째, Ⅶm7은 리디안의 7번째, Ⅲm7(♭5)은 믹소리디안의 3번째, Ⅳm는 에올리안의 4번째의 모달 코드가 사용되었다. 이 코드들은 뒤에 오는 도미넌트 코드에 대한 릴레이티드 Ⅱm7으로 사용되었다.
	32마디 Gm7(♭5)-C7(♭9,♯11), C7(♭9), C7(♯5), C7(♭9), C7(♯5), Fm7의 진행에서 두 번째 코드 C7(Ⅴ7/Ⅱ)의 도미넌트 세븐 코드가 Ⅱm7으로 완전5도 하행하는 사이의 짧은 시간에 코드의 구성 음을 4번의 변화를 주어 꾸미는 진행을 자주 사용한 것이 파웰의 특이점이다. 19-20, 22, 32, 34, 51-51, 66-67, 68-69마디에서도 비슷한 진행을 하였다.

	34마디 Ⅳm7/B^b, Ⅴ7, Ⅴ7(^b9)→ A^bm6/B^b-B^b7-B^b13(^b9)의 D.P이 사용되었다. 이와 같은 진행은 66-67마디, 68-69마디는 T.P이 사용되고 66-69 왼손에서 한옥타브 또는 코드톤으로 트레몰로 연주를 하여 엔딩으로 향하는 극적인 효과와 토닉 코드의 연속, 3도 화음과 아르페지오 진행, Ⅰ6(9)으로 곡을 마친 것은 파웰의 특이한 연주기법으로 볼 수 있다. * 세컨더리 도미넌트, 도미넌트 얼터드, 서브스티튜트 도미넌트, 모달 인터체인지, 멜로딕 마이너, 보조적 코드 등을 사용하였다.
보이싱	* 이 곡에서 왼손의 보이싱은 근음, 근음과 5음, 근음과 7음, 옥타브, 근음과 10도 음정이 사용되었고 코드톤을 사용한 4노트와 코드톤에서 3음을 뺀 코드를 사용한 것으로 나타났다.
선율 & 리듬	* ♩의 「3」, 「5」, 「7」, 「9」, 「10」, 「11」, 「12」, ♪의 「3」, 「5」, 「6」, ♪의 「3」의 잇단음을 사용하여 다양한 선율과 리듬으로 연주하였다. 빈도수 순서를 보면 ♩의 「3」22번, ♪의 「3」13번, ♪의 「3」6번, ♪의 「3」6번, 「7」3번, 「8」3번, 「9」2번, 「10」2번, 「11」1번, 「12」1번, 「5」1번, 「6」1번, ♩의 「3」1번, ♪의 「17」1번이었다. * 못갖춘마디: Ⅴ7([#]11,^b9)의 ♩의 「17」 잇단음과 아르페지오로 연주한 인트로 형태이다. * 원곡과 조성의 변화 없고 연주의 느낌에 따라 박자표가 기본 패턴을 벗어난 섞음 박자로 연주한 것이 특징이다. * 사용한 스케일들은 얼터드(B^b7(^b5,^b9)), Ⅰmaj7, 메이저 세븐에 [#]11이 사용되어 리디안, 로크리안(^b2, ^b3, ^b5, ^b6, ^b7), 믹소리디안(^b7), 도리안(^b3,^b7=마이너 세븐), 도미넌트 세븐으로 분석되지만 G^b7(^b5)의 이명동음 G^b7([#]11)을 사용한 리디안 ^b7, 멜로딕 마이너, 도리안 스케일이 사용되었다. * 제시된 악보 34, 65, 71마디에서 넓은 음역대의 아르페지오로 사용된 것을 볼 수 있다. * 1절 - 4/4: 1-2마디, 3/4: 3마디, 4/4: 4-6마디, 2/4: 7-12마디, 5/4: 13마디, 2/4: 14마디, 4/4: 15-19, 3/4: 20마디, 4/4: 21-25, 7/4: 26마디, 4/4: 27마디, 5/4: 28마디, 4/4: 29마디, 6/4: 30마디, 4/4: 31-33마디, 6/4: 34마디, 4/4: 35-36마디 *2절 - 4/4: 37-61마디, 5/4: 62마디, 4/4: 63-69마디, 2/4: 70마디, 4/4: 71마디의 섞음 박자의 곡이다.

(4) 원곡과 비교분석

원곡 〈It Could Happen to You〉는 Johnny Burke(1908-1964)가 작사하고 James Van Heusen(1913-1990)이 작곡하였다. 〈악보 14〉의 원곡 분석을 보겠다.

〈악보 14〉 〈It Could Happen to You〉 원곡 3

아래 〈표 10〉는 위에서 분석한 〈It Could Happen to You〉의 헤드 1을 도식화한 표이다.

〈표 10〉 〈It Could Happen to You〉 원곡과 비교분석

〈It Could happen to You〉 1절(1st Chorus) 헤드(Head) / ABAB´				
	원곡13) 〈E♭장조〉		파웰14) 연주곡 〈E♭장조〉	
형식	마디	분석 기호	마디	분석 기호
A	1-4	I maj7	1-4	I maj7, Ⅳ6
		릴레이티드 Ⅱm7(♭5), Ⅴ7/Ⅱ		릴레이티드 Ⅱm7(♭5), Ⅴ7/Ⅱ
		Ⅱm7		subⅤ7/Ⅵ
		#Ⅱdim		Ⅱm, Ⅱm6
	5-8	릴레이티드 Ⅱm7(♭5), Ⅴ7/Ⅱ	5-8	릴레이티드 Ⅱm7(♭5), Ⅴ7/Ⅲ
		Ⅱm7		Ⅲm7
		릴레이티드 Ⅱm7(♭5)		릴레이티드 Ⅱm7, Ⅴ7/Ⅳ
		Ⅴ7/Ⅱ		(Ⅴ7/Ⅵ)
B	9-12	Ⅱm7	9-12	Ⅴ7/Ⅱ
		subⅤ7/Ⅵ		Ⅱm6(add maj7)
		I maj7		Ⅳm(maj7), 릴레이티드 Ⅱm, (subⅤ7/Ⅵ)
		Ⅶm7(♭5), Ⅴ7/Ⅵ		I maj7, Ⅱm7
	13-16	Ⅵm7, (Ⅵm(maj7)	13-16	I /3, I maj7, 릴레이티드 Ⅱm7, Ⅴ7/Ⅵ
		Ⅵm7, Ⅴ7/Ⅴ		Ⅴ7/Ⅵ(#11,♭9)
		interpolated Ⅱm7(♭5)		Ⅵm, Ⅵm(maj7), Ⅵm7
		Ⅴ7		Ⅴ7/Ⅴ
A	17-20	I maj7	17-20	Ⅱm7(interpolated)
		릴레이티드 Ⅱm7(♭5), Ⅴ7/Ⅱ		./.
		Ⅱm7		Ⅴ7(#5,♭9), Ⅴ7(♭9)
		#Ⅱdim		Ⅴ7(♭9,13), Ⅴ7(#11,♭9), Ⅴ7(♭9)
	21-24	릴레이티드 Ⅱm7(♭5),	21-24	I maj7

		V7/II		릴레이티드 IIm7(♭5), V7/II(♯11), 7, ♭9, 7
		IIm7		
		릴레이티드 IIm7(♭5)		IIm7
		V7/II		릴레이티드 IIm7(♭5), V7/III
B´	25-28	IIm7	25-28	IIIm, IIIm7, 릴레이티드 IIm7, (V7/IV)
		(sub V7/VI)		⁒
		I maj7, sub V7/III		sub V7/VI
		릴레이티드 IIm7(♭5), V7/II		V7/II
	29-32	IIm7	29-32	IIm(maj7), IIm, IIm(add9)
		IIm7, V7		IIm, IVm(maj7), 릴레이티드 IIm, sub V7/VI(9), (sub V7/VI)
		I maj7, (VIm7)		I maj7, IIm
		IIm7, V7)		릴레이티드 IIm7(♭5), V7/II(♭9,♯11), ♭9, ♯5, ♭9, ♯5
			33-36	IIm7
				IVm6/B♭, V7, (V7(♭9,13))
				♯IVm7(♭5) (* solo break)
				V7 //
리듬		발라드, 임의대로, 4/4박자 * 잇단음표 사용하지 않음		발라드, 임의대로, 섞음 박자 * 1절: 4/4, 3/4, 4/4, 2/4, 5/4, 2/4, 4/4, 3/4, 4/4, 7/4, 4/4, 5/4, 4/4, 6/4, 4/4, 6/4, 4/4 ‖ 2절: 4/4, 5/4, 4/4, 2/4, 4/4 ‖ * ♩의 ⌐3⌐, ⌐5⌐, ⌐7⌐, ⌐8⌐, ⌐9⌐, ⌐10⌐, ⌐11⌐, ⌐12⌐, ♪의 ⌐3⌐, ⌐5⌐, ⌐6⌐, ♪의 ⌐3⌐, ♪의 ⌐3⌐, ♩의 ⌐3⌐, ♩의 ⌐17⌐ 의 잇단음을 사용한 다양한 리듬
스케일		디미니쉬드 세븐, 믹소리디안, 도리안, 리디안 ♭7, 에올리안, 디미니쉬드 세븐		도리안, 에올리안, 리디안 ♭7, 홀 톤, 믹소리디안, 얼터드, 로크리안, 멜로딕 마이너, 반음계

코드 변주	* 다이어토닉, 논다이어토닉 코드톤과 텐션 * 릴레이티드 Ⅱm7 인터폴레이티드 Ⅱm7 * 디미니쉬드 세븐 용법의 어센딩 진행 * 모달 인터체인지 코드	다이어토닉·논다이어토닉 코드톤과 텐션음의 유기적인 변형 * 릴레이티드 Ⅱm7, 인터폴레이티드 Ⅱm7 * 믹소리디안 코드 32마디 Ⅴ7/Ⅱ인 C7에 연속적인 텐션 변화 → C7(^{b}9,$^\#$11), C7(^{b}9), C7($^\#$5), C7(^{b}9), C7($^\#$5), 19-20마디 * Ⅴ7인 B^{b}7에 연속적인 텐션 변화 → B^{b}7($^\#$5,^{b}9), B^{b}7(^{b}9), B^{b}7(13,^{b}9), B^{b}7(^{b}5,^{b}9), B^{b}7(^{b}9) 등
페달링	자유로운 페달	도미넌트·토닉 페달(D.P·T.P), 한 개의 코드 구성음을 달리하여 같은 페달톤 유지, 뒤이어 나오는 코드와 근음이 같은 보조적 코드 페달
표현	갖춘마디, 싱코페이션	인트로-못갖춘마디-「 17 」 잇단음과 늘임표 사용, 늘임표(⌢, ◡), 홑 앞 꾸밈음, 겹 앞 꾸밈음(완전4도 음정 간격, 장2도 음정 간격), 3겹 앞 꾸밈음) 늘임표(페르마타), 아르페지오, 싱코페이션, 스타카토, 악센트, 트레몰로, 부분적으로 한 옥타브 또는 두 옥타브 올리거나 내려서 연주(8va, 15ma, 8vb), 더 빨리(faster), 이동(loco), 자유롭게(freely), 리타르단도(rit), 아 템포(a tempo), 솔로 브레이크 등으로 오른손과 왼손이 유기적인 연결
*원곡: 1절 헤드 1-32마디,		* 연주곡 1-72마디에서 1절 헤드 1-36마디, 못갖춘마디(→ 2박자의 「 17 」 잇단음과 잇단음 마지막 음에 늘임표 사용으로 인트로 느낌. *리하모니제이션-여러 부분에서 볼 수 있음.

13) Johnny Burke·James Van Heusen, *It Could Happen to You*, The Real Book – Standard Jazz Ⅱ, 172.
14) Famous Music, *Bud Powell*, Hal·Leonard Corporration, Transcription, 38-45.

4) 〈파리의 4월〉(April in Paris)

(1) 구조 분석

〈표 11〉 〈April in Paris〉 구조 1-76마디

〈April in Paris〉[15]/ C장조 / 섞음 박자			
형식	마디의 구성	마디 수	특징
A	1-9	9	* 원곡: 1-32마디
B	10-17	8	* 원곡: 1-32마디
C	18-26	9	* 파웰의 즉흥 연주곡: 1-76마디
A´	27-35	-	* 1절 - 박자표: 4/4, 6/4, 4/4, 6/4, 4/4, 6/4,
A	36-43	8	4/4, 7/4, 4/4, 6/4, 4/4, 5/4, 4/4, 2/4, 5/4, 7/4,
B	44-51	-	4/4, 2/4, 4/4, 6/4, 4/4, 5/4, 4/4
C	52-59	-	* 2절 - 박자표: 4/4, 6/4(61마디), 4/4(62-70마
A´	60-67	-	디), 5/4(71마디), 4/4(72-73마디), 6/4(74-76마디)
아웃트로	68-76	9	

(2) 화성 분석

〈악보 15〉 〈April in Paris〉 1-10마디

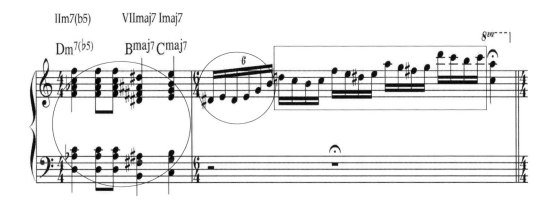

---

15) Kay Duke Music and Glocca Morra Music, *Bud Powell*, ⓒ1932 (Milwaukee: Hal·Leonard Corporration. n.d.), 8-15.

　　1마디와 3마디 왼손에서 코드톤의 3음을 뺀 화음이 사용되었다. 이와 같은
코드는 35·40·41·46·67·68마디 등에서도 여러 번 사용되었다. 1마디에서 Ⅱ

m7(^{b}5)-Ⅶmaj7- Ⅰ maj7의 화성 진행으로 양손이 같은 리듬으로 같은 위치에서 연주하였다. Ⅱm7(^{b}5)와 Ⅰmaj7의 중간 Ⅴ7이 오는 자리에 Ⅶmaj7을 사용한 것은 28, 36, 60마디에서도 볼 수 있다. 여기서 Ⅶmaj7은 장조에서 나올 수 없는 코드인데 25-26마디에서도 (subⅤ7/Ⅲ)이 Ⅲm7이 아닌 Ⅲmaj7으로 진행하는 특이한 화성 진행이다. 이와 같은 진행은 49-50, 58-59마디에서도 볼 수 있는데 이 두 진행은 C장조에서 Ⅶmaj7, Ⅲmaj7은 나올 수 없는 코드로써 파웰의 특징적인 화성 진행으로 볼 수 있다. 조성이 같은 원곡에서도 유사한 (Ⅴ7/Ⅲ)이 23-24마디에서 Ⅲmaj7으로 진행된 것을 볼 수 있다.

2마디 6/4박자의 첫 박에 ♩의 「6」 잇단음 사용이 4마디 둘째 박, 7마디 넷째 박에서도 사용되었다. 5마디 3-4째 박에는 ♩의 「3」 잇단음, 6마디 6/4박자의 5-6번째 박자에 ♩의 「3」 잇단음, 7마디 ♩의 「3」 잇단음 사용으로 박의 위치와 잇단음을 바꿔서 선율의 변화를 주어 발라드의 연주 효과를 높였다. 또한 2마디 ♩의 「6」 잇단음과 둘째 박부터 4박자 동안 16분음표로 같은 패턴의 턴(turn) 꾸밈음을 4번 반복하였고 4마디에서는 왼손에서 아르페지오로 오른손의 빈공간을 ♩의 「6」 잇단음과 「3」 잇단음으로 채워 연주하였으며 6마디 왼손의 테너 라인에서 단조로운 음에 겹꾸밈음으로 생동감을 불어 넣었다.

7-10마디 Ⅴm7, Ⅴm(maj7)의 화성 진행이 42마디에서도 사용되었다. Ⅴm7-Ⅴm(maj7)의 진행에서 Ⅴm7을 먼저 연주하고 Ⅴm7의 변형으로 볼 수 있는 Ⅴm(maj7)으로 진행된 것은 파웰의 연주에서 자주 나타나는 코드 배열임을 알 수 있다. 9마디 Ⅴ7/Ⅳ은 Ⅳmaj7인 Fmaj7으로 진행이 예상되는데 subⅤ7/Ⅲ인 F13($^{\#}$11)으로 완전5도 하행하여 위장 해결한 것은 부드럽고 세련된 음색으로 연결하기 위함으로 볼 수 있다. 2마디에서는 한 옥타브 올려서 연주한 맑은 음색과 4분음표의 늘임표 사용은 확고하게 정리하는 느낌으로 인트로 같은 느낌이지만 전체적인 곡의 구성으로 미루어 보아 A섹션으로 분석하였다. 4마디 왼손 첫 박과 5-10마디에서 싱코페이션을 사용하여 간결한 음색을 만드는 것과 지속음을 일정 박자 동안 유지하며 겹쳐지는 음들의 잔향으로 연주하였다. 이러한 부분에서 그의 발라드 연주기법과 방식을 엿볼 수 있다.

<악보 16> <April in Paris> 12-18마디

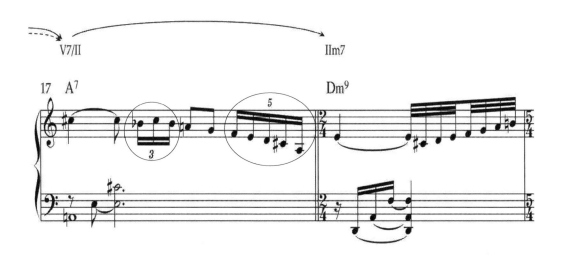

12-13마디 (Ⅴ7/Ⅵ)-Ⅵm(maj7)으로의 진행에서 Ⅵm(maj7)은 Ⅵm7의 변형으로 변화를 주었는데 이러한 진행은 24, 42, 46-47, 53, 57마디에서 자주 사용한 것을 볼 수 있다. 13-14마디에서는 ♩의 「3」 잇단음으로 선율과 리듬의 변화를 주었다. 15마디에서 오른손 스케일의 선율연주를 오른손과 왼손으로 장3도 화음을 두 선율로 나누어 동시 연주한 것은 선율을 선명하고 빠른 스케일 효과로 화성의 조화로운 음색을 고르게 내기 위한 것으로 볼 수 있다.

16-17마디의 연주에서 ♩의 「3」, 「5」, ♪의 「3」 잇단음을 사용하여 선율의 빠르기를 조절하여 아름다운 발라드 선율과 리듬을 표현하였다. 이 곡에서 ♩의 「3」, 「5」, ♩의 「3」, 「5」, 「6」, 「7」, 「10」, 「11」, 「12」 ♪의 「3」, 「5」, ♪의 「3」, 「6」 잇단음을 사용하였고 자주 사용한 순서는 ① ♩의 「3」, ② ♪의 「3」, ③ ♩의 「3」, ④ ♩의 「6」이고 이외의 잇단음들은 1-2번씩 사용되었다. 또한 연주의 느낌에 따라 박자표의 빈번한 변화로 연주한 것 또한 파웰의 특징적인 발라드 연주기법으로 볼 수 있다.

〈악보 17〉 〈April in Paris〉 64-66마디

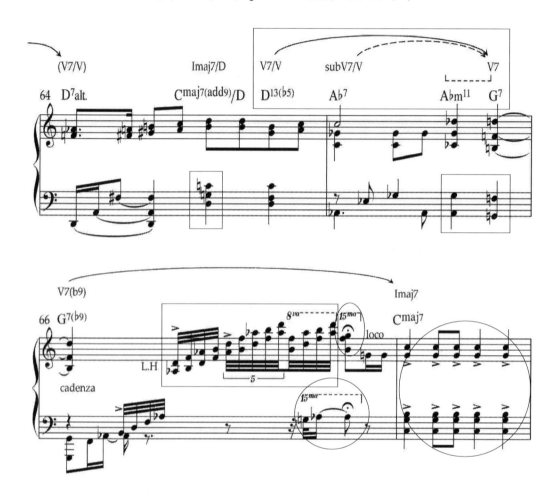

64-66마디는 다른 악보에서 보기 드문 예가 있다. V7/V-subV7/V-인터폴레이티드 Ⅱm7-V7의 진행이다. 이 진행은 3가지로 프라이머리 도미넌트를 꾸몄다. 세컨더리 도미넌트 세븐은 완전5도 하행하여 프라이머리 도미넌트 세븐인 V7으로 진행하는데 중간에 서브스티튜트 도미넌트 세븐이 반음 하행하여 V7으로 진행하고 인터폴레이티드 Ⅱm7이 반음 하행하여 V7을 꾸민 것이다. 64마디 셋째 박 완전4도 간격의 포스(4도) 보이싱과 65마디 셋째 박과 넷째 박 왼손에서 2노트로 간결한 보이싱을 연주하였다. 66마디 카덴차 연주에서 왼손 아르페지오와 증4도 화음으로 빠르게 연주하여 색다른 음색을 만들었으며 왼손과 오른손에서 한 옥타브(8va)와 두 옥타브(15ma)를 높여 피아

노의 가장 높은 G음까지 연속하여 넓은 음역대를 사용하였다. 다음 마디에는 이 곡의 시작되는 부분과 같은 리듬으로 3음을 뺀 화음이 사용되었는데 시작되는 부분과 다른 것은 양손에서 악센트를 주어 강조하면서 68마디까지 같은 선율과 리듬으로 진행하며 아웃트로로 진행하게 된다. 이 곡은 재즈 발라드의 독특하고 조화로운 리듬감으로 섬세하고 우아한 음색이 특징이다.

(3) 화성 진행과 리하모니제이션

〈표 12〉 〈April in Paris〉 화성 진행과 리하모니제이션

〈April in Paris〉 파웰 연주곡에 나타난 화성 진행과 리하모니제이션	
1-76마디, C장조, 섞음박자	
화성	1·3·35·40·41·46·67·68마디 등의 코드톤에서 3음을 뺀 보이싱이 여러번 사용되고 Ⅱm7(♭5)-Ⅶmaj7-Ⅰmaj7의 진행은 1·27-28, 36, 60마디에서 진행되었다. 또한 (subⅤ7/Ⅲ)이 Ⅲmaj7으로 진행은 25-26, 49-50, 58-59마디로의 진행되었다. 이 두 진행에서 C장조에서 Ⅶmaj7, Ⅲmaj7은 나올 수 없는 코드로써 파웰의 창의적인 진행으로 볼 수 있다. 조성이 같은 원곡과 유사한 (Ⅴ7/Ⅲ)-Ⅲmaj7으로 진행한 것을 23-24마디에서 볼 수 있다.
	5-6, 40-41마디 Ⅰmaj7의 코드톤의 구성음을 다르게 하여 2마디씩 연주
	8·42마디 Ⅴm7, Ⅴm(maj7)의 사용과 12-13마디 (Ⅴ/Ⅵ)-Ⅵm(maj7)의 진행
	10-11마디 Ⅳ7의 코드톤의 구성음과 텐션을 다르게 하여 2마디 연주
	64마디 왼손에서 셋째 박에서 완전4도 간격의 포스 보이싱, 65마디 오른손 첫 박에서 증4도 간격의 포스 보이싱이 사용되었다.
	아웃트로 68-76(9)마디에서 ♭Ⅱmaj7-Ⅰmaj7(♯11)이 두 번 진행되고 마지막 마디 Ⅰmaj7의 사용하였는데 코드톤에서 3음을 빼고 텐션 9을 사용하였다.
	1마디 C장조에서 나올 수 없는 Ⅶmaj7이 사용되었다.
	* 다이어토닉 코드 외에 논다이어토닉 코드를 사용하여 모호한 조성으로 연주하였다. 논다이어토닉 코드는 세컨더리 도미넌트, 도미넌트 얼터드, 서브스티튜트 도미넌트, 디미니쉬드 세븐스, 멜로딕 마이너, 모달 인터체인지 코드 등을 사용하였다.

보이싱	* 전체적으로 코드톤 사용, 근음·3음, 근음·5음·7음, 근음·♭7음, 근음·7음 사용하였다. * 클러스터 보이싱 여러 번 사용하였다.
선율 & 리듬	* 원곡과 조성의 변화가 없고 연주의 느낌에 따라 박자표가 규칙적인 기본 패턴을 빈번하게 벗어난 섞음박자로 연주한 것이 특징적이다. * 실제 이 곡에서 ♩의 「3」, 「5」, ♪의 「3」, 「5」, 「6」, 「7」, 「10」, 「11」, 「12」 ♪의 「3」, 「5」, ♪의 「3」, 「6」 잇단음을 사용하여 다양한 리듬으로 연주하였고 선율에는 그 코드에 맞는 스케일을 포함한 넓은 음역의 아르페지오로 아치 형태와 턴꾸밈음 형태로 연주하였다. * 박자표는 4/4, 6/4, 4/4, 6/4, 4/4, 6/4, 4/4, 7/4, 4/4, 6/4, 4/4, 5/4, 4/4, 2/4, 5/4, 7/4, 4/4, 2/4, 4/4, 6/4, 4/4, 5/4, 4/4의 박자 변화가 특징이다. * 4마디, ♩의 「6」 잇단음과 「3」 잇단음을 사용하였다.

(4) 원곡과 비교분석

원곡 〈April in Paris〉는 Johnny Burke(1908-1964)가 작사하고 Vernon Duke가 작곡하였다. 〈악보 18〉의 원곡 분석을 보겠다.

〈악보 18〉 〈April in Paris〉 원곡 4

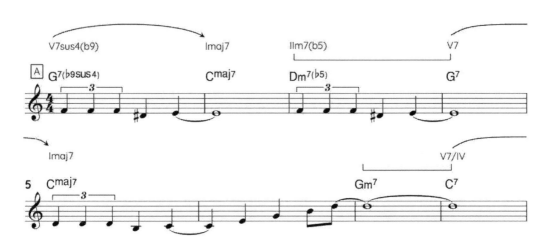

아래 〈표 13〉는 위에서 분석한 〈April in Paris〉의 헤드 1을 도식화한 표이다.

<표 13> 〈April in Paris〉 원곡과 비교분석

〈April in Paris〉 1절(1st Chorus) 헤드(Head) 1				
	원곡16) 〈C장조〉, 4/4박자		파웰 연주곡17) 〈C장조〉, 섞음박자	
형식	마디	분석 기호	마디	분석 기호
A	1-4	Ⅴ7	1-4	A부분- Ⅱm7(♭5), Ⅶmaj7, Ⅰmaj7
		Ⅰmaj7		
		Ⅱm7(♭5)		Ⅱm7(♭5), subⅤ7/Ⅴ, Ⅴ7(♭9)
		Ⅴ7		Ⅴ7
	5-8	Ⅰmaj7	5-8	Ⅰmaj7, Ⅰmaj7(9)
		╱.		Ⅰmaj7(#5), Ⅰ6
		릴레이티드 Ⅱm7		릴레이티드 Ⅱm7, Ⅴm(maj7)
		Ⅴ7/Ⅳ		릴레이티드 Ⅱm7
B	9-12	Ⅳmaj7	9-12	Ⅴ7/Ⅳ
		╱.		B부분 - subⅤ7/Ⅲ
		Ⅶm7(♭5), Ⅴ7/Ⅵ		Ⅴ7/Ⅵ, subⅤ7/Ⅲ, subⅤ7/Ⅲ(#9)
		Ⅵm, Ⅵm/♭7		Ⅱm6/E, (Ⅴ7/Ⅵ)
	13-16	릴레이티드 Ⅱm7 (Ⅴ7/Ⅲ)	13-16	Ⅵm(maj7), Ⅵm7 (Ⅴ7/Ⅴ)
		인터폴레이티드 Ⅱm7, (Ⅴ7/Ⅵ)		subⅤ7/Ⅲ
		인터폴레이티드 Ⅱm7(♭5), (Ⅴ7/Ⅱ)		(Ⅴ7/Ⅵ), (subⅤ7/Ⅵ)
C	17-20	#Ⅳm7(♭5), Ⅳdim7	17-20	Ⅴ7/Ⅱ
		Ⅰ/3, ♭Ⅲdim		C부분 - Ⅱm9,
		Ⅱm7(♭5)		Ⅶm7(♭5), Ⅴ7/Ⅵ(♭5,#9), Ⅴ7/Ⅵ
		Ⅰ/3		Ⅵm7, subⅤ7/Ⅵ, Ⅵm7
	21-24	Ⅶm7(♭5), Ⅴ7/Ⅵ	21-24	Ⅶm7(♭5), Ⅴ7/Ⅵ, Ⅵm7
		Ⅵm, Ⅵm/♭7		Ⅵm(maj7), Ⅵm7, Ⅳ/A, Ⅵm
		릴레이티드 Ⅱm7, (Ⅴ7/Ⅲ)		Ⅶm7, Ⅴ7/Ⅵ
		Ⅲmaj7, Ⅱm7, Ⅴ7		Ⅵm7, Ⅵm(maj7), Ⅵm7
A´	25-28	Ⅴ7(♭9)	25-28	(Ⅴ7/Ⅴ), 릴레이티드 Ⅱm7, (subⅤ7/Ⅲ)
		Ⅰmaj7		Ⅲmaj7, Ⅱm7, Ⅴ7(#11), (Ⅴ7)
		릴레이티드 Ⅱm7(♭5)		A´부분 - Ⅱm7(♭5)

		(Ⅴ7/Ⅱ)		Ⅶmaj7, Ⅰmaj7
	29-32	Ⅴ7/Ⅴ	29-32	(Ⅴ7/Ⅳ), Ⅳm7, Ⅲm7
		인터폴레이티드 Ⅱm7(♭5), Ⅴ7		
		Ⅰ		(Ⅴ7/Ⅱ)
		⁒		Ⅴ7/Ⅴ
			33-35	Ⅱm7/G, Ⅴ7(♭9)
				Ⅰmaj7, Ⅰmaj7/3
				Ⅱm7, (Ⅴ7)　　　　　　‖

리듬	발라드(Ballad), 4/4박자, 임의대로(Rubato) ＊ ♩의 「3」잇단음이 32마디 연주하는 동안 9번 사용	발라드, 임의대로 섞음박자로 마디의 박자 변화됨 ＊ 1절-박자표 4/4, 6/4, 4/4, 6/4, 4/4, 6/4, 4/4, 7/4, 4/4, 6/4, 4/4, 5/4, 4/4, 2/4, 5/4, 7/4, 4/4, 2/4, 4/4, 6/4, 4/4, 5/4, 4/4 박자 ＊ 2절-박자표 4/4, 6/4(61마디), 4/4(62-70마디), 5/4(71마디), 4/4(72-73마디), 6/4(74-76마디) 박자 ＊ 1절: ♩의 「3」, 「5」, 「6」, ♩의 「3」, ♪의 「3」, 「5」, 「6」의 잇단음을 사용하여 다양한 리듬을 만들어 사용하였다. ＊ 1-76마디까지는 ♩의 「3」, 「5」, ♩의 「3」, 「5」, 「6」, 「7」, 「10」, 「11」, 「12」 ♪의 「3」, 「5」, ♪의 「3」, 「6」 잇단음을 사용하여 리듬의 변화를 줌
스케일	＊ 다이어토닉·논다이어토닉 코드, 도리안, 믹소리디안, 얼터드, 리디안, 리디안 ♭7, 멜로딕 마이너, 로크리안, 디미니쉬드 세븐 스케일 사용	＊ 다이어토닉·논다이어토닉 코드 사용 도리안, 믹소리디안, 얼터드, 리디안, 리디안 ♭7, 멜로딕 마이너, 로크리안, 홀 톤 스케일 사용
코드 변주	①인터폴레이티드 Ⅱm7, 릴레이티드 Ⅱm7, 릴레이티드 Ⅱm7의 이중 기능 사용 ②♯Ⅳm7(♭5), Ⅳdim7, Ⅰ/3으로 진행된 것은 근음이 F♯, F, E 으로 반음씩 하행의 진행은 이 곡	코드톤에서 3음을 뺀 1. 5. 7음의 코드 사용, 릴레이티드 Ⅱm7, 릴레이티드 Ⅱm7의 이중 기능, 도미넌트 세븐의 사이에 오는 인터폴레이티드 Ⅱm7, 원곡 인터폴레이티드 Ⅱm7가 15, 16마디에서 나타나지 만 파웰의 연주곡에는 리하모니제이션하

	의 작곡자 Vernon Duke의 창의적인 진행 ③ ♭Ⅲdim, Ⅱm7(♭5)은 근음이 반음씩 하행한 디미니쉬드 세븐스 용법	였고 원곡에 진행되었던 ①②③의 진행은 파웰의 연주곡에 나타나지 않고 리하모니제이션하여 연주
페달링	연주자 임의대로	부분적으로 왼손 첫 번째 아르페지오 부분 페달, 아르페지오 시작 부분 한 박자만 페달, 또한 10도 음정의 왼손 긴 박자에서만 페달, 왼손의 근음을 싱코페이션이나 붙임줄을 사용하여 페달 효과는 그 코드의 근음이 지속음으로 사용되고 그 위에 그 코드의 구성음들이 일정한 규칙대로 사용되었다. 이것은 클래식 피아노 연주곡과 비슷한 페달 사용이다.
표현	* 갖춘마디, 싱코페이션 사용 * 악센트, 늘임표, 아르페지오, 겹처진 화음 스케일, 옥타브 이동, 박자표 변화 없음	갖춘마디, 싱코페이션, 부분적인 악센트, 늘임표, 아르페지오, 오른손과 왼손이 겹처서 화음으로 스케일(15, 58, 66, 마디), 8va, 15ma, 8vb, loco, 박자표가 23번 바뀐 섞음박자의 곡이다. 점점빠르게(accel.)
	* 원곡은 인트로 없이 1-32마디이며 중간에 조성의 변화는 없지만 논다이어토닉 코드들의 사용하고 대부분 다이어토닉 코드로 해결 * 14-16마디에서 세컨더리 도미넌트 사이에서 릴레이티드 Ⅱm7, Ⅴ7의 두 번의 연결로 15, 16마디 두 번의 인터폴레이티드 Ⅱm7의 효과 * 23-24마디에서 Ⅲm7이 아닌 Ⅲmaj7으로 위장 해결	* 파웰 연주곡은 2마디의 인트로를 포함하여 1-35마디이며 1-76마디의 곡으로 중간에 조성의 변화가 없음 * C장조에서 1, 28마디 Ⅴ7이 올 수 있는 자리에 Ⅶmaj7으로 진행하고 25-26마디 Ⅲm7 대신에 Ⅲmaj7으로 위장 해결 * 파웰의 연주에서는 14-17마디 (Ⅴ7/Ⅴ)-sub Ⅴ7/Ⅲ-(Ⅴ7/Ⅵ), subⅤ7/Ⅵ-Ⅴ7/Ⅱ로 연주되었다. 원곡의 Ⅱm7, Ⅴ7자리에 파웰의 연주에서는 subⅤ7이 두 번 들어간 것을 볼 수 있고 마디도 확장되어 사용

16) Words by E. Y. Harburg Music by Vernon Duke, *The Real Book,* Standard Jazz, 26.

17) Kay Duke Music, *Bud Powell*, (Hal·Leonard Corporation), Transcriptions, 8.-15. Disccography: 〈April in Paris〉, 〈Get Happy〉, 〈So Sorry Please〉 - LP: Norgran MGN 1063, 4.

5) 〈운 포코 로코〉(Un Poco Loco)

(1) 구조 분석

<표 14> 〈Un Poco Loco〉구조 1-191마디

〈Un Poco Loco〉[18]/ C장조 / 2/2 박자			
형식	마디의 구성	마디 수	비고
인트로	1-8	8	1-4마디(×2) 반복
A	9-24	16	5-20마디(×2) 반복
A	25-40	–	
B	41-56	–	21-36마디
A	57-72	–	37-52마디-A와 동일
간주	73-80	8	53-60마디 //
솔로	81-221	141	
드럼	222-251	30	
A	252-267	16	부분적인 솔로, 솔로 오버 뱀프
A	268-283	–	(solo over vamp)
B	284-299	–	
A	300-315	–	
아웃트로	316-325	10	

이 곡은 파웰이 작곡하였다. 원곡은 브라이트 라틴(bright Latin), 즉흥연주곡에서는 패스트 라틴(fast Latin)으로 표현되어 있다. 파웰은 연주곡 중 1951년 녹음된 〈Un Poco Loco〉의 재즈 리듬에 라틴 아메리카 리듬을 적용한 아프로큐반(Afro-Cuban)[19] 리듬의 곡을 만든 확립자이다. 파웰의 작곡 중 녹음된 유일한 라틴곡 〈Un Poco Loco〉는 《The Amazing Bud Powell Vol. 1》 앨범에 수록되어있다.

---

18) EMI Longitude Music Co., *Bud Powell*, ⓒ1953 (Renewed 1981) (Milwaukee: Hal·Leonard Corporation. n.d.), 86-95.
19) 이 곡은 1940년에 푸에르토리코가 아프로큐반 음악을 전통 재즈 음악과 혼합시켜서 만든 살사(salsa)의 클라베(clave) 리듬 패턴이라 할 수 있으며 뉴욕에서 음악 프로모터(promoter)에 의해 만들어진 용어로 아프로큐반(라틴) 음악의 기반이 되었다.

(2) 화성 분석

〈악보 19〉 〈Un Poco Loco〉 1-12마디

이 곡에서 같은 코드로 반복 연주되는 부분 솔로는 다음과 같다. Dm11, G+(#9)의 코드 진행이 3번 반복 후에 I maj7(b9,#11)으로 진행하였고 4마디는

오른손만 릭(lick)을 연주하였으며 1-4마디의 진행으로 한번 더 반복되는 인트로이다. 뒤에 나오는 선율과 리듬이 인트로 네 마디에 모두 담겨있다. 3마디 왼손에서 블록 코드와 리디안에서 만들어진 오른손 네 개 음으로 만든 보이싱이 수직으로 동시에 강한 울림을 주는 선율과 리듬으로 연주되었다.

A부분 5-12마디를 보면 5-8마디의 ^{b}III maj7($^{#}$11), ^{b}II maj7($^{#}$11), ^{b}V maj7($^{#}$11), I maj7(^{b}9,$^{#}$11)의 진행이 9-11마디에서도 반복 연주되고 다시 A부분이 반복될때에도 같은 코드로 반복된다. 코드의 음정 간격은 장2도, 완전5도, 증4도이고 리듬의 빈공간에는 필인을 채워 연주하였다. 이러한 음악은 중세 시대의 음악에 쓰인 동의어로 오스티나토(ostinato)와 같은 유형인데 대중음악에는 뱀프(vamp), 리프(riff)가 있다. 이 음악은 어떤 일정한 음형을 악곡 전체를 통하여 사용하거나 악절 전체에 걸쳐 동일한 성부의 음높이로 반복하는 음악의 형태이다. 이 주법은 곡의 시작, 중간, 마지막 부분에 사용되기도 한다. 이 곡 인트로 1-2마디에서 3번 반복되고 뒤에 나오는 3마디의 리듬 패턴이 5, 7, 9, 11마디에서도 진행되어 같은 성질의 리디안 스케일을 갖는 같은 속성의 모달 코드로 연주되었다. 이 부분들이 원곡과 같은 선율 패턴으로 연주되는데 발라드곡에서 연주되는 선율 패턴과 같은 음형으로 반복되는 리피티드 노트 형태이며 일정한 간격의 라틴리듬 패턴으로 연주되었다. 리피티드 노트 형태는 왼손 코드의 변화에 따라 왼손 리듬이 다르게 나타나는데 파웰의 발라드곡 〈It Could Happen to You〉에서도 15-16마디 첫 박까지 5박자 동안의 연주에서도 이 곡에서 사용한 같은 라틴리듬이 사용되었다. 왼손은 해당 코드의 근음의 지속음 위 테너 라인에서 이 리듬이 사용되었으므로 양손에서 부분적으로 라틴리듬이 사용되었다. 본 곡에서는 양손에서 같은 라틴리듬으로 선율과 리듬에 적용되었고 뱀프 형태로 연주하였다. 이러한 뱀프 형태의 연주는 파웰의 특징 중 하나이다. 파웰은 재즈 고유의 리듬에 라틴리듬 아프로큐반(Afro-Cuban)[20]을 재즈에 적용하여 연주하였다. 이는 당시 파웰만의 리듬 응용으로 두 마디 단위로 첫 번째 마디에 3번, 두 번째 마디에

---

20) 아프로큐반은 삼바, 맘보, 탱코, 룸바 리듬이 이에 속한다. 이는 보컬의 콜 앤 리스폰스의 리듬 패턴이 아프리카의 노예들에 의해 쿠바에 영입되어 스패니쉬(Spanish) 하모니, 멜로디, 춤 형식의 스페인 문화와 쿠바에 끌려온 아프리카 노예들의 문화가 혼합되었다. 아프로큐반 음악의 악기들은 콩가와 봉고, 클라베 등 아프리카의 전통 타악기와 유럽의 악기가 함께 사용되었다.

2번의 악센트가 오는 3 & 2 리듬 ‖ ♩. ♪♩ ♩⌐♩ ♩ ♩ ‖ 의 포워드(forward) 클라베(clave) 리듬 패턴을 사용하였다.[21)

〈악보 20〉 〈Un Poco Loco〉 13-20마디

13-20마디의 코드를 보면 13마디 Ⅵm7-Ⅳ($^{\#}$11)-(Ⅴ7/Ⅴ), 15마디 $^{\flat}$Ⅵm9-Ⅲ($^{\#}$11)-subⅤ7-Ⅰmaj7($^{\flat}$9,$^{\#}$11)으로의 진행에서 앞에 나온 (Ⅴ7/Ⅴ)이 subⅤ7으로 분석되고 Ⅰmaj7($^{\flat}$9,$^{\#}$11)로 진행한 것이다. 코드 음정의 간격을 장3도와 단3도로 진행하여 단2도 간격으로 해결하고 위와 같이 같은 코드에 나오는 스케일 안에서 릭을 연주하였다. 이 부분에서 전체적으로 두 파트가 반음씩 하행한 코드 진행을 하였다. 13·14마디는 오른손에서 4도 간격의 포스 보이싱을 사용하여 모호한 음색을 만들고 왼손은 단음으로 선명하게 연주하였다. 17-19마디에서는 왼손에서 한 옥타브에 완전5도와 완전4도의 음정 간격인 3개의 음으로 만든 블록 코드의 절제된 리듬으로 연주하였다. 또한 4마디에서와 똑같은 릭(lick)을 3번 연주하였다.

〈악보 21〉 〈Un Poco Loco〉 21-29마디

21-28마디를 보면 21-24마디 Fm7, B♭7, E♭maj9, B♭dim7, E♭6의 진행에서 B♭7은 반음 하행하여 Am7으로 진행될 것이 예상되는데 Am7으로 진행하지 않고 완전5도 하행하여 ♭Ⅲmaj7인 E♭maj9으로 위장 해결하였다. E♭maj9과 E♭6 사이에 B♭dim7을 보조적 코드로 사용하여 완전5도 하행하는 특징적인 연주방식이다. 21-22마디와 25-26마디에서 같은 리듬을 사용하였고 릴레이티드 Ⅱm7-(subⅤ7/Ⅵ)-♭Ⅲmaj7-♭Ⅶdim7-♭Ⅲ6, 릴레이티드 Ⅱm7-(subⅤ7/Ⅴ)-♭Ⅱmaj7-♭Ⅵdim7-♭Ⅱ6의 진행은 완전5도로 두 번 하행하고 다음은 베이스음이 완전5도로 상행과 하행하는 경쾌한 연주방식이다. 여기서 (subⅤ7/Ⅵ)은 Ⅵm7인 Am7으로, (subⅤ7/Ⅴ)은 Ⅴ7인 G7으로 반음 하행하여 진행하고자 하는 코드인데 완전5도 하행하여 경쾌한 베이스 음을 만들었다. 완전5도 간격으로 연속되는 진행은 파웰이 개척한 라틴리듬의 코드 진행이며 경쾌하게 연주하는 특징적인 화성 진행 방식으로 볼 수 있다.

〈악보 22〉 〈Un Poco Loco〉 30-37마디

29-36마디를 보면 29-31마디 Dm(maj7♭5)-G7(#5)-Dm(maj7♭5)-Cmaj7의 진행에서 마이너 메이저 세븐 코드를 사용하였다. 왼손의 순차적인 베이스 선율 위에 오른손에서 코드 보이싱이 사용되었다. 이는 32마디 오른손 선율 C, D, E와 왼손의 근음 C, B, B♭이 순차적으로 반진행 하였다. 이 진행은 33마디 첫 박까지 Am7/3-Bm7(♭5)-B♭7(♭5)-Am7으로 진행하는데 Am7의 1전위로 C, B, B♭, A음으로 반음씩 하행하는 선율로 베이스라인을 만들었다. 이어지는 코드 진행은 Am7-Dm7-G7으로 완전5도씩 하행하는 세컨더리 도미넌트와 프라이머리 도미넌트로 진행되는 두 가지의 진행에서 간결함이 느껴지는 연주 방식이다. 36마디 A부분으로 반복하는 바로 전 마디에서 인트로에 적용되었던 코드 진행인 Ⅱm7-V+(#9)을 연주한 것은 파웰의 독창적인 방식으로 볼 수 있다. 파웰의 작곡인 연주곡으로 같은 선율과 리듬을 반복하는 뱀프 형태의 정확하고 빠른 라틴 특유의 리듬으로 연주한 것이 특징이다.

(3) 화성 진행과 리하모니제이션

파웰은 작곡한 원곡을 브라이트 라틴(bright Latin)이라 하고 즉흥연주 곡에서는 페스트 라틴(fast Latin)으로 표현하였으며 라틴(아프로큐반, Afro-Cuban) 곡을 만든 확립자이다.

당시 파웰의 연주는 이전에 사용하던 스트라이드 왼손 주법보다 오른손의 선율의 기교를 발휘하는 전환점이 되었다. 파웰은 비밥의 색소폰 연주자 찰리 파커와 같이 반음계적인 빠른 선율을 자유롭게 구사하며 당시 피아노 연주에서 선구자로 우뚝 서게 되었다.

파웰의 연주곡 중 1951년 녹음된 〈Un Poco Loco〉는 재즈 리듬에 라틴 아메리카 리듬을 적용한 재즈, 아프로큐반이다. 파웰의 작곡 중 녹음된 유일한 라틴곡 〈Un Poco Loco〉는 《The Amazing Bud Powell Vol.1》 앨범에 수록되어있다.

<표 15> 〈Un Poco Loco〉 화성 진행과 리하모니제이션

	〈Un Poco Loco〉 파웰 연주곡에 나타난 화성 진행과 리하모니제이션
	1-191마디(도돌이표 제외), C장조, 2/2박자
화성	인트로: 1-4마디*2(8마디) Ⅱm7-Ⅴ($^{\#}$5,$^{\#}$9)을 세 번 반복 후 Ⅰmaj7의 연주를 하는데 이 진행을 두 번 반복하였다.
	A: 5-8마디 ^{b}Ⅲmaj7($^{\#}$11)-^{b}Ⅱmaj7($^{\#}$11)-^{b}Ⅴmaj7($^{\#}$11)-Ⅰmaj7($^{\#}$11)를 두 번 반복
	B: 13-14마디 Ⅵm9-Ⅳ($^{\#}$11)-(Ⅴ7/Ⅴ), 15-17마디 ^{b}Ⅵm9-Ⅲ($^{\#}$11)-Ⅱ6-Ⅰmaj7(^{b}9,$^{\#}$11)의 진행하였다.
	C: 21-23마디 릴레이티드 Ⅱm7-(subⅤ7/Ⅵ)-^{b}Ⅲmaj7-^{b}Ⅶdim7-^{b}Ⅲ6의 진행이다.
	D: 29-31마디 Ⅱm(maj7)(^{b}5)-Ⅴ7($^{\#}$5)-Ⅱm(maj7)(^{b}5)-Ⅰmaj7의 진행을 하였다.
	간주: 53-60마디(곡의 연주 중간에 Coda: 2마디 포함), * 59-60마디 코다 (Ⅴ7/Ⅵ)-(Ⅴ7/Ⅴ)-^{b}Ⅱmaj7-Ⅰ(61마디)로 연주하였다.
	61-187마디까지 대부분 Ⅰ-Ⅴ($^{\#}$11)-Ⅰ, Ⅴ7-Ⅰ으로 연주로 연주하였다.
	Coda: 곡의 엔딩 부분에는 ^{b}Ⅱ가 마지막에 추가되었다. 188-191마디 곡의 엔딩 부분 (Ⅴ7/Ⅵ)-(Ⅴ7/Ⅴ)-^{b}Ⅱmaj7-Ⅰ-^{b}Ⅱ로 연주하였다.
	* 논다이어토닉 코드는 세컨더리 도미넌트, 서브스티튜트 도미넌트, 모달 인터체인지 코드, 디미니쉬드 세븐 코드를 사용하여 곡을 꾸몄으며 조성의 모호함을 주었다.
보이싱	* 포스 보이싱과 블록 코드가 사용되었다. 오른손에서만 사용되기도 하고 왼손에서만 사용되기도 하였다. * 왼손에서는 근음, 5음, 근음과 5음을 주로 사용하여 선율을 보조해주었다.
선율&리듬	* 블록 코드를 3, 17마디에서 사용하였는데 오른손 보이싱과 왼손에서 블록 코드(한옥타브 중간에 완전5도 추가한 코드)를 사용하여 선율과 리듬을 동시에 연주하였다. * 늘임표와 리타르단도를 사용하여 부분적으로 1옥타브 올리거나 1옥타브 내려서 음역을 넓게 사용하였다. * ♩의 「3」 잇단음과 싱코페이션으로 선율과 리듬을 다양하게 만들어 사용하였다. * 릭(lick), 필인(fill in)을 사용하여 쉼표의 공간에 반복하는 선율을 넣어 곡을 꾸몄다. * 라틴(아프로 쿠반)곡을 뱀프 형태로 같은 선율과 리듬 반복하는 연주를 하였다. * 싱코페이션 사용으로 강약의 위치를 바꿔 라틴리듬을 만들어 연주하였다.

(4) 원곡과 비교분석

원곡 〈Un Poco Loco〉는 Earl Bud Powell(1924-1966)의 곡이다. 〈악보 23〉의 원곡 분석을 보겠다.

〈악보 23〉 〈Un Poco Loco〉 원곡 5

아래 〈표 16〉은 위에서 분석한 〈Un Poco Loco〉의 헤드 1을 도식화한 표이다.

〈표 16〉 〈Un Poco Loco〉 원곡과 비교분석

형식	원곡[22] 〈C장조〉, 4/4박자		파웰 연주곡[23] 〈C장조〉, 2/2박자	
	마디	분석 기호	마디	분석 기호
인트로	1-4	Ⅱm7, Ⅴ7($^{\#}$9), Ⅱm7	1-4	Ⅱm7, Ⅴ($^{\#}$5,$^{\#}$9), Ⅱm7
		Ⅴ($^{\#}$9), Ⅱm7, Ⅴ7($^{\#}$9)		Ⅴ($^{\#}$5,$^{\#}$9), Ⅱm7, Ⅴ($^{\#}$5,$^{\#}$9)
		Ⅰmaj7($^{\#}$11)		Ⅰmaj7($^{\flat}$9,$^{\#}$11)
		✕ :∥		✕ :∥
A	5-8	𝄋∥: $^{\flat}$Ⅲmaj7($^{\#}$11)	5-8	𝄋∥: $^{\flat}$Ⅲmaj7($^{\#}$11)
		$^{\flat}$Ⅱmaj7($^{\#}$11)		$^{\flat}$Ⅱmaj7($^{\#}$11), $^{\flat}$Ⅴmaj7($^{\#}$11)
		Ⅰmaj7($^{\#}$11)		Ⅰmaj7($^{\#}$11)
		✕		✕
	9-12	$^{\flat}$Ⅲmaj7($^{\#}$11)	9-12	$^{\flat}$Ⅲmaj7($^{\#}$11)
		$^{\flat}$Ⅱmaj7($^{\#}$11)		$^{\flat}$Ⅱmaj7($^{\#}$11), $^{\flat}$Ⅴmaj7($^{\#}$11)
		Ⅰmaj7($^{\#}$11)		Ⅰmaj7($^{\#}$11)
		✕		✕
B	13-16	(Ⅴ7/Ⅴ)	13-16	Ⅵm9, Ⅳ($^{\#}$11), (Ⅴ7/Ⅴ)
		✕		
		subⅤ7		$^{\flat}$Ⅵm9, Ⅲ($^{\#}$11), $^{\flat}$Ⅱ6
		✕		
	17-20	Ⅰmaj7($^{\#}$11)	17-20	Ⅰmaj7($^{\flat}$9,$^{\#}$11)
		✕		✕
		*(Coda) ✕		*(Coda) ✕
		✕ :∥		Ⅰmaj7($^{\flat}$9,$^{\#}$11) :∥

	마디	코드 진행	마디	코드 진행
C	21-24	릴레이티드 Ⅱm7 (subⅤ7/Ⅵ) ♭Ⅲmaj7 ⁒	21-24	릴레이티드 Ⅱm7 (subⅤ7/Ⅵ) ♭Ⅲmaj7, ♭Ⅶdim7, ♭Ⅲ6
	25-28	릴레이티드 Ⅱm7 (subⅤ7/Ⅴ) ♭Ⅱmaj7 ⁒	25-28	릴레이티드 Ⅱm7 (subⅤ7/Ⅴ) ♭Ⅱmaj7 ♭Ⅵdim7, ♭Ⅱ6
D	29-32	Ⅱdim7 Ⅴ7 Ⅰmaj7 Ⅶm7/$^{♭}$7, Ⅴ7/Ⅵ/5, subⅤ7/Ⅵ	29-32	Ⅱm(maj7)($^{♭}$5), Ⅴ7($^{♯}$5) Ⅱm(maj7)($^{♭}$5) Ⅰmaj7 Ⅵm7, Ⅶm7($^{♭}$5), subⅤ7/Ⅵ
	33-36	Ⅵm7, Ⅴ7/Ⅴ Ⅴ7 Ⅴ7($^{♯}$5,$^{♯}$9) *(D.S.Coda) ‖	33-36	Ⅵm7, Ⅴ7/Ⅴ (Ⅴ) Ⅱm7, Ⅴ($^{♯}$5,$^{♯}$11) *(D.S.Coda)
	37-38	(Coda) Ⅰma7(#11) ⁒	37-38	(Coda) (Ⅴ7/Ⅵ), (Ⅴ7/Ⅴ), ♭Ⅱmaj7
리듬	* 밝은 라틴(Bright Latin) * 5-8마디, 9-11마디 같은 코드의 반복 진행은 솔로 오버 뱀프(solo over vamp)라고 하는 반복적인 리듬 패턴 인트로 |: ♩ ♩. ♪| ♩. ♩ ♩ | ♪ ♩ ⌐ ┐ ┌3┐ ┌3┐ ♩ ‖ A부분 | ♩ ♪ ♩ ♩ | ♩ ♩ ♩ | ♩ ♪ ♩ ⌐┐ ♪♪♪♪♪♪♪ |		* 빠른 라틴(Fast Latin) 솔로 오버 뱀프(solo over vamp)-양손에서 같은 선율과 리듬 → 반복적인 리듬 인트로 |: ♩ ♩. ♪| ♩. ♩ ♩ | ♩. ♪ ♩ ♩ ‖ AB부분 | ♩. ♪ ♩ ⌐ ┐ ♩ ♩ ♩ | ♩. ♪ ♩ ⌐ ┐ ♩ | - ‖ ♩의 「3」 잇단음과 싱코페이션으로 선율과 리듬을 다양하게 만들어 사용 * 5-8마디의 ♭Ⅲmaj7($^{♯}$11), ♭Ⅱmaj7($^{♯}$11), ♭Ⅴmaj7($^{♯}$11), Ⅰmaj7($^{♯}$11)의 코드 진행이 9-11	

	B부분 ♩. ♪♩ ♩┌─┐♩ ♩ ♩ ‖ ♩. ♪♩ ♩┌─┐♩ ♩ ♩ ‖ * ♩의 「3」 잇단음 사용	마디에서도 반복하여 연주되고 다시 A부분이 반복될 때도 같은 코드 진행으로 반복 * 이와 같은 음악은 중세 시대의 음악에 쓰인 같은 동의어로 오스티나토와 같은 명칭으로 대중음악에는 뱀프, 리프(riff)가 있는데 일정한 음형을 동일한 성부의 음높이로 반복하는 음악의 형태 * ♩의 「3」 잇단음 사용으로 리듬 변화
스케일	* 다이어토닉, 논다이어토닉 코드, 도리안, 믹소리디안, 리디안, 리디안 ♭7, 홀 톤, 디미니쉬드 세븐	* 다이어토닉·논다이어토닉 코드, 도리안, 홀 톤, 리디안, 믹소리디안, 디미니쉬드 세븐, 리디안 ♭7, 멜로딕 마이너

코드 변주	6·10마디 ♭IImaj7(♯11)
	13-14마디 (V7/V)
	15마디 subV7
	23마디 ♭IIImaj7
	27-28마디 ♭IImaj7
	29-30마디 IIdim7, V7
	32마디 VIIm7/♭7, V7/VI/5,
	  subV7/VI
		6·10마디 ♭IImaj7(♯11), ♭Vmaj7(♯11)
		13-14마디 VIm9, IV(♯11), (V7/V)
		15마디 ♭VIm9, III(♯11), ♭II6
		23마디 ♭IIImaj7, ♭VIIdim7, ♭III6
		27-28마디 ♭IImaj7, ♭VIdim7, ♭II6
		29-30마디 IIm(maj7)(♭5), V7(♯5),
		  IIm(maj7)(♭5)
		32마디 VIm7, VIIm7(♭5), subV7/VI

페달링	연주자 임의대로	연주자 임의대로
표현	악센트, 마르카토, 싱코페이션	인트로, 아웃트로, 반복하는 선율과 리듬이 중세 음악의 오스티나토와 같은 주법으로 대중음악에서는 '뱀프' 주법인데 코드의 리듬패턴이 반복하는 형태, 싱코페이션으로 선율과 리듬 변형, 늘임표(페르마타), 점점느리게(rit), 한옥타브 아래(8vb), 한옥타브 위(8va), 릭(lick), 필인(fill in)

22) Earl "Bud" Powell, *Bud Powell*, *The Real Book*, Standard Jazz III, 327.
23) EMI Longitude Music Co, *Bud Powell*, (Hal·Leonard Corporation), Transcriptions
© 1953(Renewed 1981), 86-95. Disccography: 〈It Could Happen to You〉, 〈Un Poco Loco〉 - LP: Blue Note BLP 1503, CD: Blue Note 32136, 4.

6) 1-5곡의 보이싱

다섯 곡의 분석에 나타난 보이싱의 특징들은 ① 코드톤과 텐션 4(11)음, 6(13)음 사용한 화음, ② 클러스터 보이싱, ③ 2노트, 루트리스 2노트, 루트리스 3노트, ④ 포스 보이싱, ⑤ 락드 핸즈가 사용되었다. 아래 〈표 17〉은 분석한 1-5곡의 보이싱을 도식화한 표이다.

〈표 17〉 1-5곡의 보이싱

버드 파웰 연주 1-5곡 분석에 나타난 비밥 재즈 보이싱	
명칭	보이싱 기법
① 코드톤과 텐션 4(11)음, 6(13)음 사용	* 〈Celia〉 1·3음, 1·5음, 1·6음, 1·7음, 3·5·7음, 1·3·5·7음의 코드톤으로 된 화음, 코드톤에서 3음을 뺀 1·5·7음으로 된 화음, 1·4·6음, 1·5·6음, 1·6음으로 된 화음을 만들어 사용하였고 10도 음정 사이에 완전5도 추가한 화음을 사용하였다. * 30마디 왼손 10도 음정 사이에 완전5도 음정 추가한 화음을 사용하였다. * 〈A Night in Tunisia〉 21, 37, 39-40마디에 10도 음정의 화음, 48마디에도 10도 음정에 7음 추가한 화음을 사용하였다. * 〈It Could Happen to You〉 근음, 1·5음, 1·7음, 옥타브(8도), 10도 음정이 사용되었고 코드톤을 사용한 4노트와 코드톤에서 3음을 뺀 화음을 사용하였다. * 〈April in Paris〉 1·3음, 1·5·7음, 1·♭7음, 1·7음의 2노트 화음을 사용하였다. * 〈Un Poco Loco〉 왼손에서 1·5음을 주로 사용하여 선율을 보조해주었다.
② 클러스터 보이싱	* 〈Celia〉 4·8마디 오른손, 16마디 왼손에서 클러스터 보이싱 사용하였는데 오른손, 왼손에서 단선율로 연주할 때는 오른손에서 클러스터 보이싱을 사용하였다. * 근음이 없는 ♭9, 3, #11음으로 음 3개로 만든 클러스터 보이싱이 16마디에서 사용하였

	는데 왼손, 오른손의 선율이 단선율일 때는 왼손에서 클러스터 보이싱, 또는 코드톤을 사용하였다. * 〈April in Paris〉 클러스터 보이싱이 여러 번 사용하였다.
③ 2노트, 루트 리스 2노트, 루 트리스 3노트	* 〈A Night in Tunisia〉 21, 46마디-1·^{b}7(2노트), 38마디 -^{b}3·^{b}7(루트리스 2노트) 간결한 화음을 사용하였다. * 〈Celia〉 16마디 근음이 없는 ^{b}9, 3, 11음으로 만든 루트리 스 3노트 보이싱을 사용하였다.
④ 포스 보이싱	* 〈Un Poco Loco〉 13-16마디 오른손에서 연속적으로 포스 보이싱을 사용하였다.
⑤ 락드 핸즈	* 〈A Night in Tunisia〉 47마디의 셋째 박, 48마디 오른손 첫 번째와 두 번째 보이싱에서 선율 음이 한 옥타브 아래로 더 블링 된 락드 핸즈 보이싱이 사용되었다. * 〈It Could Happen to You〉 32마디 선율라인과 테너라인을 보면 중간에 오른손 D음과 왼손의 D^{b}음을 뺀 나머지 다섯 개 의 선율 음이 더블링된 것을 볼 수 있다. 베이스에 근음이 지 속되는 가운데 3개의 선율 음이 테너 라인에 더블링 되었고 다 음은 쉼표를 사용하여 2개의 음이 독립적인 락드 핸즈 보이싱으 로 사용되었다. 이와 같은 진행은 51-52마디에도 진행되었다.

7) 1-5곡의 선율과 리듬 변형

위에서 분석한 파웰 연주 1-5곡 분석에 나타난 선율과 리듬의 변형은 다음과 같다.

다섯 곡의 분석에 나타난 선율과 리듬의 변형 특징들은 ① 잇단음표와 섞음박자를 사용하여 선율과 리듬 변화, ② 싱코페이션 사용으로 선율과 리듬 변화, ③ 아티큘레이션 사용, ④ 반복하는 선율과 리듬-뱀프, 펑크 리프, ⑤ 릭(lick)와 필인(fill in) 사용, ⑥ 3옥타브 이상의 넓은 음역대 아르페지오 사용, ⑦ 블록 코드, ⑧ 아프로큐반(라틴) 리듬 패턴, ⑨ 장3도 음정 간격, 증4도 음정 간격의 화음으로 선율연주, ⑩ 유니즌 선율, ⑪ 리피티드 노트 형태, ⑫ 반진행, ⑬ 반음씩 하행하는 베이스라인 적용 등이다. 이러한 진행들을 사용하여 파웰은 빠르고 화려한 선율로 연주하였으며 정확한 박자로 스윙, 펑크, 발라드, 라틴음악을 연주하였다. 아래 〈표 18〉은 분석한 1-5곡의 선율과 리듬 변형을 도식화한 표이다.

〈표 18〉 1-5곡의 선율과 리듬 변형

버드 파웰 연주 1-5곡 분석에 나타난 선율과 리듬 변형	
명칭	선율과 리듬 변형 기법
① 잇단음과 섞음박자를 사용하여 선율과 리듬 변화	* 〈Celia〉 ♩의 「3」, ♪의 「3」을 선율에서 여러 번 사용하여 리듬의 변화를 가져왔고 오른손의 선율에 따라 왼손의 화음과 컴핑을 다르게 연주하였다. * ♪의 「3」 = (♪)을 연주할 때도 ♪의 다음에 오는 ♪에 악센트를 넣어 박의 변화로 원곡과 다른 변화를 주었다. * 13-14마디에서 반음계적인 「3」 잇단음을 선율과 연결하였는데 연속하여 세 번 사용하였다. 당시 파웰은 이러한 연주방식으로 선율을 꾸며 특징적인 음색으로 만들어 연주하였다.
	* 〈A Night in Tunisia〉 ♩의 「3」, 「5」, 「7」, ♪의 「3」 잇단음과 싱코페이션 사용으로 선율과 리듬을 다양하게 변화하였다.

	* 〈It Could Happen to You〉 연주의 느낌에 따라 박자표가 기본 패턴을 벗어난 섞음박자로 연주한 것이 특징이다. *1절 - 4/4: 1-2마디, 3/4: 3마디, 4/4: 4-6마디, 2/4: 7-12마디, 5/4: 13마디, 2/4: 14마디, 4/4: 15-19, 3/4: 20마디, 4/4: 21-25, 7/4: 26마디, 4/4: 27마디, 5/4: 28마디, 4/4: 29마디, 6/4: 30마디, 4/4: 31-33마디, 6/4: 34마디, 4/4: 35-36마디. *2절 - 4/4: 37-61마디, 5/4: 62마디, 4/4: 63-69마디, 2/4: 70마디, 4/4: 71마디의 섞음박자로 선율과 리듬을 다양하게 변화하였다.
	* 〈It Could Happen to You〉 ♩의 「3」, 「5」, 「7」, 「9」, 「10」, 「11」, 「12」, ♪의 「3」, 「5」, 「6」, ♬의 「3」 잇단음을 사용하여 다양한 선율과 리듬으로 연주하였다. *빈도수 순서를 보면 ♩의 「3」 22번, ♪의 「3」 13번, ♬의 「3」 6번, ♩의 「3」 6번, 「7」 3번, 「8」 3번, 「9」 2번, 「10」 2번, 「11」 1번, 「12」 1번, 「5」 1번, 「6」 1번, ♩의 「3」 1번을 사용하여 선율과 리듬을 다양하게 변화. * 못갖춘마디: V7(#11,♭9)은 ♩의 「17」 잇단음으로 아르페지오 하여 인트로 형태로 연주하였다.
	* 〈April in Paris〉 연주 느낌에 따라 박자표가 규칙적인 기본 패턴을 빈번하게 벗어난 섞음박자로 연주한 것이 특징적이다. 4/4, 6/4, 4/4, 6/4, 4/4, 6/4, 4/4, 7/4, 4/4, 6/4, 4/4, 5/4, 4/4, 2/4, 5/4, 7/4, 4/4, 2/4, 4/4, 6/4, 4/4, 5/4, 4/4의 섞음박자로 선율과 리듬을 다양하게 변화하였다.
	* 〈April in Paris〉 ♩의 「3」, 「5」, ♩의 「3」, 「5」, 「6」, 「7」, 「10」, 「11」, 「12」 ♪의 「3」, 「5」, ♬의 「3」, 「6」 잇단음을 사용하여 다양한 선율과 리듬으로 연주하였다. 또한 선율연주는 코드 스케일과 넓은 음역대의 아르페지오로 연주되었으며 턴꾸밈음 형태도 포함되었다.
	* 〈Un Poco Loco〉 ♩의 「3」 잇단음과 싱코페이션으로 선율과 리듬을 박자의 위치를 바꿔 다양하게 사용하였다.
② 싱코페이션 사용으로 선율과 리듬 변화	* 선율과 리듬이 동시에 연주되기도 하지만 오른손과 왼손에서 싱코페이션을 사용하여 서로 다른 리듬으로 변화를 주었다.
	* 쉼표를 넣어 박자의 흐름에 신선함을 만들고 긴 싱코페이션으

	로 인한 왼손 리듬의 잔향으로 음들의 움직임에 여백을 주었다. * 〈Un Poco Loco〉 싱코페이션 사용으로 강약의 위치를 바꿔 라틴리듬을 만들어 스윙 감각으로 연주하였다.
③ 아티큘레이션	* 선율과 리듬을 동시에 강조할 때는 양손이 동시에 악센트와 싱코페이션을 넣어 연주, 선율에 앞 꾸밈음, 악센트, 테누토, 싱코페이션을 넣어 박의 변화와 박의 위치를 바꿔 생기있는 음색으로 만들었다. 빠른 선율에서 턴(turn) 꾸밈음(∾.∾), 모르덴트(ᵔ) 꾸밈음이 선율에 적용되어 연주되었다.
④ 반복하는 선율과 리듬: 뱀프, 펑크 리프	* 클래식 음악에서 오스티나토와 같은 형태가 실용음악에서는 뱀프(vamp), 리프(riff) 형태로 연주하였다. * 〈A Night in Tunisia〉 펑크(funk) 리프(riff) 형태로 특색있는 리듬을 사용하였다. 아프로큐반 리듬을 기반하여 빠른 리듬으로 곡의 긴장감과 흥분감을 주는 것이 특징이다. * 〈Un Poco Loco〉 라틴(아프로큐반)곡을 뱀프·리프 형태로 같은 선율과 리듬을 반복하였다.
⑤ 릭(lick)과 필인(fill in)	* 〈Un Poco Loco〉 17-19마디에서 릭이 사용되었고 8, 12마디에서 필인을 사용하여 쉼표의 공간에 각각 반복하는 선율을 넣어 곡을 꾸몄다.
⑥ 3옥타브 이상의 넓은 음역대 아르페지오	* 〈It Could Happen to You〉 34, 59, 65, 71마디 등에서 넓은 음역대의 아르페지오 사용을 볼 수 있다. 부분적으로 1옥타브, 2옥타브 올리거나 1옥타브 내려서 음역을 넓게 사용하고 스케일과 아르페지오로 3옥타브 이상의 넓은 음역대로 화려한 선율을 연주하였다.
⑦ 블록 코드	* 〈A Night in Tunisia〉 38마디에서 블록 코드-옥타브를 누르고 완전5도를 누르면 나머지 음정은 자연히 완전4도가 되는 블록 코드를 사용하여 오른손의 보이싱과 더불어 강하게 들리는 사운드로 연주하였다. * 〈Un Poco Loco〉 3·17마디에서 선율과 리듬을 동시에 연주하는 블록 코드 사용하였고 〈Un Poco Loco〉 19-20마디는 왼손에서만 블록 코드 사용하였다.

	* 파웰은 왼손에서 블록 코드를 연주하고 오른손에서는 4-5노트 보이싱과 수직으로 동시에 연주하였다.
⑧ 아프로큐반 (라틴) 리듬 패턴	라틴리듬은 파웰만의 리듬 응용으로 두 마디 단위로 첫 번째 마디에 3번, 두 번째 마디에 2번의 악센트가 오는 ♩ ♩. ♪♩ ♩⌐♩ ♩ ♩ ‖ 의 포워드(forward) 클라베(clave) 리듬 3 & 2 패턴을 사용하였다. 이 음악은 아프리카의 전통 타악기와 유럽의 악기가 합쳐져 사용되었다. *이와 반대 리듬으로 연주하는 리듬은 리버스 클라베(Reverse Clave) 리듬 2 & 3 패턴이다.
⑨ 장3도 음정 간격, 증4도 간격의 화음으로 선율 연주	* 〈April in Paris〉 15마디에서 양손이 동시에 장3도 음정의 화음으로, 66마디에는 증4도 음정의 화음으로 선율을 32분음표의 아르페지오로 연주하였다.
⑩ 유니즌 선율	* 〈It Could Happen to You〉 9마디 넷째 박에서 유니즌 선율, 12-13마디 지속음 위, 아래의 내성에서 유니즌 선율, 63·65마디 넷째 박에서 유니즌 선율이 사용되었다.
⑪ 리피티드 노트 형태	* 〈It Could Happen to You〉 15-16마디 첫 박까지 같은 음형이 반복되는 형태로 연주하였다. * 〈Un Poco Loco〉 5-6·9-10마디 등에서 같은 음형이 반복되는 형태가 연주되었다. 왼손에서도 같은 리듬 패턴으로 연주되었다.
⑫ 반진행	* 〈Un Poco Loco〉 32마디 오른손 선율 C, D, E와 왼손의 근음 C, B, B♭이 선율이 서로 상행과 하행을 하였다. *베이스 선율은 33마디 Am7까지 C, B, B♭, A로 반음씩 하행하였다.
⑬ 반음씩 하행하는 베이스라인	* 〈Un Poco Loco〉 32-33마디 첫 박까지 Am7/C의 1전위 코드를 시작으로 베이스음이 C, B, B♭, A로 반음씩 하행하였다.

Ⅲ. 오스카 피터슨의 음악적 배경과 연주곡 분석

1. 생애와 음악적 배경

오스카 피터슨(Oscar Peterson, 1925-2007)[24]은 캐나다 퀘백 주 몬트리올(Quebec Montreal)에서 1925년 8월 15일에 태어났다. 그의 부모는 영국령 서인도 제도 버진 아일랜드에서 온 이민자였으며 그의 아버지 다니엘 피터슨(Daniel Petersen)은 몬트리올에서 어머니 올리비아 존(Olivia John)을 만나 결혼하였고 피터슨은 다섯 자녀 중 넷째였다. 피터슨은 헝가리 클래식 피아니스트 폴드 마키(Paul de Marky)와 함께 공부했으며 두 사람은 서로 존중하는 음악적 우정을 가진 친구로 발전했다. 1947년 피터슨은 그의 첫 번째 캐나다 트리오를 결성하여 몇 년 동안 공연했다. 트리오 공연 동안 그는 진정한 트리오 사운드를 확립하는 데 전념했다. 1949년 알버타 라운지에 출연했을 때 기획자 노먼 그란츠(Norman Granz)는 그의 말을 듣고 "필하모닉 재즈(Jazz at the Philharmonic)"로 알려진 그의 올스타 콘서트 극단과 함께 카네기 홀에 게스트로 출연하도록 초대했다. 청중을 압도시킨 피터슨은 1년 후에 1950년에 JATP에 고정 멤버로 다시 합류했다. 그는 노만 그란츠(Norman Granz)의 머큐리(Mercury) 레이블과 녹음을 시작했으며 베이시스트 레이 브라운(Ray Brown)과 첫 미국 듀오를 결성했다. 1950년 그는 최고의 재즈 피아니스트를 위한 다운비트상(DownBeat Award)을 수상했고 이후 이 상을 12번 더 수상하였다.[25]

1950년대 말부터 피터슨은 세계적으로 재즈를 선도하는 피아니스트 중 한 명이 되었을 때, 솔로, 듀오, 트리오, 콰르텟, 스몰 밴드, 그리고 빅 밴드들의 다양한 무대에서 연주했다. 하지만 피터슨은《내 친구들만을 위한》(Exclusively for My Friends)라는 제목의 솔로 앨범 시리즈를 만들기 전까지 피아노 독주와 녹음을 드물게 하였다. MPS 레코드를 위해 만들어진 이 솔로 피아노 세션은 빌 에번스와 맥코이 타이너와 같은 스타들의 등장에 대한 피터슨의

---

24) Brent Edstrom, *Oscar Peterson*, (Milwaukee: Hal·Leonard Corporation. n.d.).
25) Brent Edstrom, *Oscar Peterson*, (Milwaukee: Hal·Leonard Corporation. n.d.).

반응이었다.26) 그는 계속해서 광범위한 미국 순회공연을 펼쳤고, 후에 캐나다 정부의 음악 대사로서 유럽, 남미, 아프리카, 극동, 심지어 러시아까지 순회했다.

그는 바쁜 여행 일정 동안 그는 토론토에 현대 음악 선진학교(Advanced School of Contemporary Music)로 알려진 재즈 학교를 설립하여 전 세계에서 학생들을 모집하였다. 그는 투어 중에 시간을 내어 세미나를 진행했다. 하지만 세계 여러 지역에서의 콘서트 일정으로 인한 그들의 부재로 인해 학교가 어려움을 겪게 되어 문을 닫았다.27) 피터슨은 수년에 걸쳐 루이스 암스트롱(Louis Armstrong), 엘라 피츠제럴드(Ella Fitzgerald), 카운트 베이시(Count Basie), 듀크 엘링턴(Duke Ellington), 디지 길레스피(Dizzy Gillespie), 로이 엘드리지(Roy Eldridge), 콜먼 호킨스(Coleman Hawkins) 및 찰리 파커(Charlie Parker)와 같은 많은 재즈 거장들과 함께 녹음하였지만, 그를 인정받게 한 것은 다양한 트리오와의 녹음이었다. 그는 전 세계의 수많은 장소에서 연주했으며 작곡에 더 많은 시간을 할애하였다. 그의 트리오와 함께 전 세계에 발표된 곡들로는 1960년대에 작곡되어 미국의 아프리카계 미국인 민권 운동에 의해 영감을 받은 〈카나디아나 모음곡〉(Canadiana Suite)과 〈자유에 대한 찬가〉(Hymn to Freedom)가 있다.28) 〈자유에 대한 찬가〉(Hymn to Freedom)는 미국 시민권 운동의 십자군 찬송가 중 하나가 되었다. 〈비곤 둘 케어〉(Begone Dull Care)는 캐나다 영화인 토론토 온타리오 플레이스의 빅 노스(Big North)와 사일런트 파트너(Silent Partner)의 노먼 맥라렌(Norman McLaren)과 공동 제작하였다. 피터슨은 아프리카에서 사용된 지하 철도를 추적한 영화 〈끝없는 날의 들판〉(Fields of Endless Day)의 사운드트랙을 작곡하였으며 노예 시대에 캐나다로 탈출한 미국인들과 캐나다 국립영화위원회(National Film Board of Canada)에서 일한 적도 있다. 피터슨은 토론토시를 위해 〈도시의 불빛〉(City Lights)"이라는 제목의 특별 왈츠가 포함된 '레 발레 재즈 뒤 캐나다(Les Ballets Jazz du Canada)'의 의뢰를 받아 발레 영화 작업을 이어갔

---

26) Brent Edstrom, *Oscar Peterson,* (Milwaukee: Hal Leonard Corporation. n.d.).
27) Al Levy, "Oscar Peterson," www.alevy.com/peterson.htm, (accessed December 11, 2022).
28) Brent Edstrom, *Oscar Peterson*, (Milwaukee: Hal·Leonard Corporation. n.d.).

다. 트리오와 오케스트라를 위해 작곡된 요한 세바스티안 바흐(Johann SeBastian Bach)의 300번째 생일, 그 뒤를 이어 런던 BBC가 의뢰하여 1984년 성금요일에 전국 텔레비전을 통해 트리오와 함께 연주한 '부활절 모음곡(Easter Suite)'이 이어졌다. 이 특정 프로덕션은 당시 매년 방송되었다. 피터슨은 1988년 캘거리 동계올림픽 개막식 음악을 작곡하기도 했다. 이 모든 것 외에도 피터슨은 300개 이상의 곡을 작곡했으며 대부분이 출판되었다. 피터슨은 다양한 TV 프로덕션에 출연했으며 다양한 게스트와 인터뷰하고 연주하는 자신만의 스페셜을 진행하였는데 엔서니 버지스(Anthony Burgess), 앤드류 로이드 웨버(Andrew Lloyd Webber), 팀 라이스(Tim Rice), 그리고 전 영국 총리인 에드워드 히스(Edward Heath)를 포함하였다. 피터슨은 자신의 유명세로 인하여 정치적 견해를 좌우하는 데 사용하지 않기를 원했지만, 그는 자신의 모국인 캐나다가 평등과 정의에서 세계를 이끌 책임이 있다는 신념을 가지고 있었다. 이를 염두에 두고 그는 캐나다의 다문화 공동체에 대한 인정과 공정한 대우를 증진하기 위해 확고한 입장이었다. 이 분야에서의 노력 덕분에 피터슨은 1972년에 캐나다 훈장 장교로 임명되었다. 1984년에는 캐나다 최고의 민간 영예인 기사단 동반자(Companion of the Order)로 진급했다. 1993년 피터슨은 글렌 굴드상을 수상했다. 수년에 걸쳐 피터슨은 많은 명예 학위를 수여 받았으며 세계문화상[29], 유네스코 국제 음악상, 여왕 메달, 토론토 예술상, 총독 공연 예술상, 국제 재즈 교육 협회 회장상을 수상했다.[30]

피터슨의 최고 녹음물은 1960년대 후반과 1970년대 초에 MPS를 위해 만들어졌다.[31] 몇 년 동안 그는 1973년에 레이블이 부착되고 그란츠의 파블로 레코드사를 위해 녹음했다.[32] 1990년대와 2000년대에는 텔라크 콤보와 함께

---

29) 세계문화상(Praemium Imperiale), 1988년에 일본 미술 협회가 전 총제 다카마스노미아 노부히토의 세계문화예술의 보급향상에 널리 기여하고 싶다는 뜻을 이어 협회 설립 100주년을 기념해 창설한 상이다.
30) Betty Nygaard King, "Oscar Peterson," The Canadian Encyclopedia, www.thecanadianencyclopedia.ca/en/article/oscar-peterson (accessed October 09, 2022).
31) Betty Nygaard King, "Oscar Peterson," The Canadian Encyclopedia, www.thecanadianencyclopedia.ca/en/article/oscar-peterson (accessed October 09, 2022).
32) Scott Yanow, *Bebop*, (Sanfrancisco: Miller Freeman Books, 2000), 332.

몇개의 앨범을 녹음했다. 1980년대에 그는 피아니스트 허비 행콕과 듀오로 성공적인 연주를 했다. 1980년대 후반과 1990년대에 피터슨은 그의 제자 베니 그린과 함께 공연과 녹음을 했다. 피터슨은 피아노, 트리오, 쾌르텟, 그리고 큰 밴드를 위한 곡들을 썼다. 그는 여러 곡을 작곡했으며 가수로서 녹음도 했다. 후에, 그는 요크 대학교에서 재즈 프로그램을 가르쳤고 1990년대 초 몇 년 동안은 해당 대학의 총장을 역임하였다.[33] 그는 독창적인 재즈 피아노 교향곡을 발표하기도 했다. 그는 연습을 위해 쇼팽의 넓은 손가락 범위, 스카를라티의 정확한 운지법, 라벨과 드뷔시의 풍부한 하모니, 바흐의 대위법을 제시한다고 하였다. 그는 특히 요한 세바스티안 바흐, 평균율 클라비어곡집, 골드 베르크 변주곡, 그리고 푸가의 기법 연구를 강조하였다.[34]

피터슨은 관절염을 앓았다. 1990년대 초에 했던 고관절 수술은 성공적이었지만 여전히 불편해했다. 1993년 가벼운 뇌졸중으로 신체 왼쪽이 약해져 2년 동안 음악 활동을 쉬기도 했다. 그의 연주 활동은 줄어들었고 주로 오른손에 의존하여 생활하였다. 1995년에는 가끔 공개 공연을 통해 녹음하였다. 왼손이 쇠약해졌음에도 불구하고 회복하여 매년 전 세계 콘서트 투어, 녹음 및 작곡을 계속했다. 그의 친구인 캐나다 정치인이자 아마추어 피아니스트 밥 레이(Bob Rae)는 "한 손으로 하는 오스카상이 두 손을 가진 누구보다 낫다"고 했다. 피터슨은 2007년 건강 악화로 6월 8일 미국 뉴욕 카네기 홀 올스타전에 참석하는 것을 취소해야 했다. 12월 23일 온타리오주 미시소거(Mississauga)의 조용한 자택에서 신부전으로 사망했다. 피터슨은 생애 연주 활동 기간 동안 7번의 그래미상을 받았으며 그래미 평생 공로상도 받았다.[35] 그는 삶, 사랑, 음악에 대한 열정이 강했던 최고의 음악가였다.

---

33) Betty Nygaard King, "Oscar Peterson," The Canadian Encyclopedia, www.thecanadianencyclopedia.ca/en/article/oscar-peterson (accessed October 09, 2022).

34) Gene Lees, *Oscar Peterson: the will to swing* (California: Prima Publishing & Communications, 1990), 99.

35) Betty Nygaard King, "Oscar Peterson," The Canadian Encyclopedia, www.thecanadianencyclopedia.ca/en/article/oscar-peterson (accessed October 09, 2022).

2. 녹음앨범

오스카 피터슨이 남긴 녹음앨범은 재즈 연주자들이 음악적 영감을 얻고 창작과 연주 활동에 지침이 되고 있다. '부록'에 제시된 피터슨의 앨범 목록과 제시되지 않은 그의 음악 활동 기간 동안 '200개 넘는 앨범 녹음'과 '300개 이상의 작곡'을 한 것으로 알려져 있다. 그는 연주 활동 기간 6개의 앨범 목록에서 그룹 부문 6번, 솔리스트 부분 1번으로 7번의 그래미상을 수상하였고 1997년에는 그래미 평생 공로상도 받았으며 국제 재즈 명예의 전당에 헌액되었다. 본 연구의 부록 3에 피터슨의 앨범 목록 209개를 첨부하였다. 아래 〈표 19〉, 〈표 20〉에서 필모그래피와 그래미상 녹음앨범을 보겠다.

〈표 19〉 필모그래피(filmography)

년도	필모그래피(filmography)
1978	The Silent Partner (Movie Score)-(사일런트 파트너(영화 악보))
1996	Life of A Legend (View Video)-(전설의 삶 (동영상))
1998	London: 1964 (Vidjazz)-(런던: 1964(비드재즈))
2004	Music in the Key of Oscar (View Video)-(오스카 키의 음악 (동영상))
2004	Easter Suite for Jazz Trio (TDK)-(재즈 트리오를 위한 부활절 모음곡 (TDK))
2004	A Night in Vienna (Verve)-비엔나의 밤(버브)
2004	Norman Granz' Jazz in Montreux Presents Oscar Peterson Trio '77 (Eagle Vision USA)-(노먼 그란츠의 재즈 몽트뢰 선물 오스카 피터슨 트리오 '77 (이글 비전 USA))
2007	The Berlin Concert (Inakustik)-(베를린 콘서트(이나쿠스틱))
2007	Reunion Blues (Salt Peanuts)-(레위니옹 블루스(소금 땅콩))
2008	Oscar Peterson & Count Basie: Together in Concert 1974 (Impro-Jazz Spain)-(오스카 피터슨 & 카운트 베이시: 1974년 콘서트에서 함께(임프로-재즈 스페인))
2008	Jazz Icons: Oscar Peterson Live in '63, '64 & '65 -재즈 아이콘; 오스카 피터슨 라이브 '63, '64 & '65
2014	During This Time: Oscar Peterson, Ben Webster. NDR Jazzworkshop 1972 (art of groove)-이 시간 동안: 오스카 피터슨, 벤 웹스터. NDR 재즈 워크샵 1972 (그루브의 예술)

<표 20> 오스카 피터슨 그래미상과 평생 공로상

오스카 피터슨 그래미상 수상과 평생 공로상		
6개의 앨범 목록에서 그래미상 수상 7번		
년도	앨범 제목 / 연주자	그래미상
1973	The Trio / Joe Pass(g), Niels-Henning Orsted Pedersen(b)-Grammy Award for Best Jazz Performance, Group	17회-그룹
1974	The Giants / Joe Pass(g), Ray Brown(b) - Grammy Award for Best JazzPerformance by a Soloist	20회-솔로
1974	Oscar Peterson and the Trumpet Kings - Jousts / Grammy Award for Best Jazz Performance by a Soloist	22회-솔로
1977	Oscar Peterson Jam - Montreux '77 / Grammy Award for Best Jazz Performance by a Soloist	21회-솔로
1990	Live at the Blue Note / Grammy Award for Best Jazz Instrumental Performance by a Soloist , Group	33회-솔로, 그룹
1991	Saturday Night at the Blue Note / Grammy Award for Best Jazz Instrumental Performance, Group	34회-그룹
평생 공로상		
1997	Lifetime Achievement Grammy Award, Instrumental Soloist Lifetime Achievement	기악 솔리스트

3. 연주곡 분석

스윙과 비밥 음악이 현대적인 감각과 기술을 더하여 발전한 오스카 피터슨의 음악을 통하여 어떻게 다르게 나타나는지 고찰하고자 한다. 오스카 피터슨 연주곡 다섯 곡 〈All of Me〉, 〈You Make Me Feel So Young〉, 〈'Round Midnight〉, 〈Just in Time〉, 〈A Child Is Born〉의 순서로 분석하겠다.

<표 21> 오스카 피터슨 연주 1-5곡

연주곡	연주형식	음악 구분
〈All of Me〉	AB	Med. Swing
〈You Make Me Feel So Young〉	AABAA´	Med. Swing
〈'Round Midnight〉	AABA	Ballad
〈Just in Time〉	ABCDCD´	Easy Swing
〈A Child Is Born〉	AA´	Ballad

1) 〈나의 모든 것〉(All of Me)

(1) 구조 분석

<표 22> 〈All of Me〉 구조 1-108마디

〈All of Me〉 [36]/ A^{b}장조 / 4/4 박자			
형식	마디 구성	마디 수	특징
인트로	1-8	8	$^\#$Ⅳdim7- Ⅰ6/5, ^{b}Ⅲdim7- Ⅱm7(^{b}5)의 진행, 7마디 토닉 페달(T.P), 익스텐디드 도미넌트 진행
A	9-24	16	* Ⅰmaj9/5로 시작
B	25-40	–	* ^{b}Ⅶdim7/^{b}5, ^{b}Ⅷdim7/^{b}3의 사용
A	41-56	–	* $^\#$Ⅰdim7의 사용
B	57-72	–	* ^{b}Ⅵdim7의 사용
A	73-88	–	* Ⅷm7/^{b}3
B	89-107	19	* 103-106마디-익스텐디드 도미넌트의 진행
아웃트로	108	1	* subⅤ7- Ⅰmaj7으로 엔딩
* 원곡은 C장조이고 피터슨의 연주는 A^{b}장조 곡이며 중간에 조성의 변화는 없다. * 디미니쉬드 세븐 코드가 자주 사용되었다.			

---

36) Gerald Marks Music and Marlong Music Corp., *Oscar Peterson Piano Solos*,

(2) 화성 분석

〈악보 24〉 〈All of Me〉 1-9마디

1-3마디 Ⅳ6-[#]Ⅳdim7-Ⅰ6/5의 디미니쉬드 세븐스의 어센딩 용법이 34·66·98 마디에서 사용되었고 47-48·79-80마디에서는 [#]Ⅰdim7-Ⅱm의 어센딩 용법이 사용되었다. 4-7마디 첫 박까지 익스텐디드 도미넌트 세븐스의 진행을 하였으며 7마디 첫 박 A^b7의 근음과 같은 Bm(^b5)인 ^bⅢdim/A^b-B^bm(^b5)인 Ⅱ dim/A^b의 진행은 토닉 페달톤으로 진행되어 근음이 같은 A^bmaj9으로 진행하는 연속적인 더블 보조적 코드로 사용되었다. 뒤에 오는 Ⅰmaj9/5인 A^bmaj9/E^b 으로 진행한 7-8마디 테너 라인을 보면 G^b-F-F^b(E)-E^b으로 반음씩 하행한 것을 볼 수 있다. 또한 이 곡은 미디엄 스윙곡으로 디미니쉬드 용법이 자주 사용되었음을 볼 수 있다. 왼손 화음은 10도 음정, 9도 음정, 11도 음정, 4마디 첫 박 포스 보이싱과 코드의 음정 배열에서 선율에 해당 코드의 근음을 사용하였다. 왼손에서는 두 번째 코드 F9은 아래부터 3, ^b7, 9음을 수직으로 쌓아 아래에서 두 번째 올 수 있는 5음이 오른손의 선율 내성에서 사용된 것을 볼 수 있다. 또한 6-8마디에서는 홑꾸밈음을 여러번 사용하였고 ♩의 「3」, ♪의 「3」 잇단음을 사용한 오른손의 선율에 따른 리듬 변형으로써 왼손에서도 싱코페이션을 사용한 화음으로 간결하게 연주한 피터슨의 스타일을 볼 수 있다.

〈악보 25〉 〈All of Me〉 31-32, 47-48마디

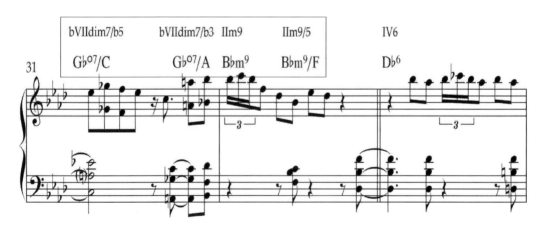

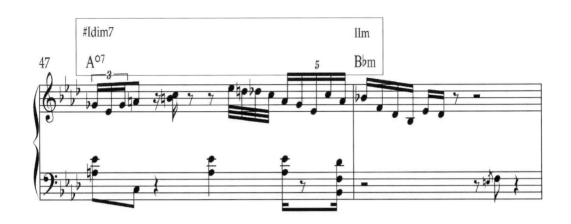

    31-32마디 ♭Ⅶdim7/♭5-♭Ⅶdim7/♭3-Ⅱm9-Ⅱm9/5의 진행에서 디미니쉬드 세븐 코드를 사용하여 2전위, 1전위 하였고 Ⅱm9 코드에서는 2전위 한 것을 볼 수 있다. 이 진행은 A♭장조에서 베이스라인이 C-A-B♭-F 진행이 단3도 하행, 단2도 상행, 완전5도 상행한 창의적인 진행으로 볼 수 있다. 47-48마디는 디미니쉬드 세븐스 어센딩 진행을 하였다. 이 부분에서는 선율에서 ♪의 「3」, ♩의 「5」 잇단음을 사용하였다. 이 곡에서 ♪의 「3」, ♪의 「3」, ♩의 「3」, 「5」, 「6」 잇단음이 사용되었는데 가장 많이 사용된 순서를 보면 ① ♪의 「3」 36번 ② ♩의 「3」 24번 ③ ♩의 「5」 2번 ④ ♪의 「3」 2번 ⑤ ♩의 「6」 1번 사용한 것을 볼 수 있었다. 왼손에서는 해당 코드의 10도 음정 중간에 6음, ♭7음, 5음 또는 6, 7, 5도 음정 간격으로 한 개 음을 추가한 화음을 여러 번 사용하였는데 이러한 화성과 전위 코드를 자주 사용한 것을 볼 수 있다.

〈악보 26〉 〈All of Me〉 103-108마디

103-106마디 익스텐디드 도미넌트 세븐이 4번 진행되었는데 중간에 꾸며 주는 코드 없이 기본형으로 연주되었다. 이와 같은 진행이 4-7마디에도 익스 텐디드 도미넌트 세븐으로 4번 연속 진행되었다.

106-108마디 곡을 마칠 때 V7sus4- I -subV7- I maj7의 화성 진행은 피 터슨의 특이한 연주방식으로 볼 수 있다. 이는 V7sus4- I 으로 곡을 완전5도 하행하여 마친 화성 진행인데 이 부분에서 오른손 선율과 왼손 선율을 유니 즌으로 연주한 것은 풍부한 울림과 간결한 선율진행으로 곡을 마치려는 것으 로 볼 수 있다. 그러나 다시 subV7- I maj7으로 반음 하행하여 I maj7으로 곡을 마친 것은 피터슨의 특이한 엔딩(ending) 연주방식으로 볼 수 있다.

(3) 화성 진행과 리하모니제이션

〈표 23〉〈All of Me〉화성 진행과 리하모니제이션

〈All of Me〉피터슨의 연주곡에 나타난 화성 진행과 리하모니제이션	
1-108마디, A^b장조, 4/4박자, 곡의 형식: 인트로(8), A(16), B(16), A(16), B(16), A(16), B(20)	
화 성	1-3마디 $IV6$-$^\#IVdim7$-$I6/5$의 디미니쉬드 세븐스의 어센딩 용법이 34·66·98마디에서도 사용, 47-48·79-80마디에서는 $^\#Idim7$-IIm의 어센딩 사용, 7마디는 $^bIIIdim7$-$IIm7(^b5)$의 진행으로 디센딩이 사용되었다.
	23-24마디 $Bm7$, 61-62마디 G^bdim7, 77-78·93-94마디 G^b13·G^b9, 91-92마디 D^b13은 보조적 코드로 사용되었다.
	31-32마디 디미니쉬드 세븐 코드에서 2전위, 1전위, $IIm9$ 코드에서 2전위 한 것을 볼 수 있다. $^bVIIdim7/^b5$-$^bVIIdim7/^b3$-$IIm9/5$
	103-106마디 익스텐디드 도미넌트 세븐의 기본형이 진행되었다. * 이와 같은 진행-4마디 둘째 박부터 7마디 첫 박까지 진행되었다.
	106-108마디 곡을 마칠 때 $V7sus4$-I-$subV7$-$Imaj7$의 화성 진행 특이함
	* 논다이어토닉 코드들은 세컨더리 도미넌트, 서브스티튜트 도미넌트, 디미니쉬드 세븐, 모달 인터체인지 코드 사용을 사용하여 반음 상행과 하행하는 선율라인과 베이스라인을 만들었다. * 릴레이티드 $IIm7$, 전위 코드 자주 사용하였다. * 조성은 그대로 두고 논다이어토닉 코드를 사용하여 조성을 넘나들었다.
보 이 싱	* 10도 음정 중간에 한음을 추가한 화음을 여러번 사용하였다. * 4마디 2노트, 루트리스 2노트 보이싱 사용하였고 4마디와 105마디 포스 보이싱을 사용하였다. * 왼손 화음 1·5·7음과 같은 음형의 화음 형태-4, 103, 105마디에서 사용되었다.
선 율 & 리 듬	* 이 곡에서 잇단음을 사용한 빈도수는 ① ♪의 「3」 36번 ② ♩의 「3」 24번 ③ ♩의 「5」 2번 ④ ♪의 「3」 2번 ⑤ ♩의 「6」 1번을 사용하여 선율과 리듬에 다양한 변화를 주었다. * 아티큘레이션(홑앞꾸밈음, 늘임표) 사용하여 선율을 꾸몄다. * 싱코페이션을 사용하여 스윙 감각으로 선율과 리듬에 변화를 주었다.

(4) 원곡과 비교분석

원곡[37] 〈All of Me〉는 Seymour Simons & Gerald Marks가 만들었다. 〈악보 27〉의 원곡 분석을 보겠다.

〈악보 27〉 〈All of Me〉 원곡 1

---

37) 원곡 1-5곡 - The Real Book에 나오는 Standard Jazz 곡을 사보 프로그램으로 사보하고 그 곡의 구조와 분석 기호를 넣어 표시하였다.

아래 〈표 24〉는 위에서 분석한 〈Un Poco Loco〉의 헤드 1을 도식화한 표이다.

〈표 24〉 〈All of Me〉 원곡과 비교분석

〈All of Me〉 1절(1st Chorus) 헤드(Head) 1 분석				
형식	원곡38) 〈C장조〉		피터슨 연주곡39) 〈A♭장조〉	
	마디	분석 기호	마디	분석 기호
인트로			1-4	IV6
				#IVdim7
				I 6/5
				(V7/V), (V7/II)
			5-8	V7/V
				V sus4
				(V7/IV), ♭IIIdim7, IIm7(♭5)
A	1-4	I maj7	9-12	I maj7
		‰		‰
		(V7/VI)		(V7/VI)
		‰		‰
	5-8	V7/II	13-16	V7/II
		‰		‰
		IIm		‰
		‰		IIm
	9-12	V7/VI	17-20	(V7/VI)
		‰		‰
		VIm		‰
		‰		VIm7
	13-16	V7/V	21-24	(V7/V)
		‰		‰
		IIm7		‰ Im7
		V7		♭IIIm7, 릴레이티드 IIm7, V7
B	17-20	I maj7	25-28	I (A♭)
		‰		‰
		(V7/VI)		(V7/VI/5), (subV7/III/♭7)
		‰		(V7/VI/♭7)
	21-24	V7/II	29-32	(V7/II/♭7)

		./.		./.
		IIm		♭VIIdim7/♭5, ♭VIIdim7/♭3
		./.		Im9/5
	25-28	IV	33-36	IV6
		IVm		♯IVdim7
		Imaj7, IIIm7		I6/5, IIIm7, (subV7/VI)
		V7/II		(V7/II)
	29-32	IIm7	37-40	(V7/V)
		V7		./.
		I6 *Fine (♭IIIdim,		I (A♭)
		IIm7, V7)		./.

리듬	미디엄 스윙(♩ = ♪♪ = ♩ ♪), 4/4 박자 ♩의 「3」 잇단음 6번 사용 ♩ ♪♪♩「3」♩ ♩의 「3」︱ ♩ ♪♪♩「3」。 ︱ ♩. ♪♪「3」♩ ♩ ♩의 「3」︱♩ ♩「3」 ♩ 。 ︱	미디엄 스윙(♩ = ♪♪ = ♩ ♪), 2/2박자 ① ♪의 「3」 ② ♩의「3」 ③ ♩의「5」 ④ ♪의 「3」 ⑤ ♩의 「6」 잇단음을 포함한 다양한 리듬
스케일	디미니쉬드 세븐, 믹소리디안, 도리안, 로크리안 스케일	디미니쉬드 세븐, 믹소리디안, 도리안, 로크리안
코드 변주	다이어토닉 코드와 논다이어토닉 코드 릴레이티드 IIm7의 이중 기능	디미니쉬드 세븐 용법의 어센딩과 디센딩, 전위코드, 논다이어토닉 코드, 릴레이티드 IIm7, 보조적 코드, 익스텐디드 도미넌트 세븐의 진행, 전위코드를 자주 사용, 블록 코드, 2노트·4노트 루트리스, 클러스터, 포스 보이싱 사용
페달링	연주자 임의대로	토닉 페달(T.P)과 연주자 임의로대로
표현	갖춘마디, 인트로 없음, 싱코페이션 사용으로 강약의 위치를 바꿔 연주	갖춘마디, 인트로 8마디, 싱코페이션, 꾸밈음(홑 앞 꾸밈음, 겹 앞 꾸밈음, 단3도 화음 앞 꾸밈음)

---

38) The Real Book)에 나오는 Standard Jazz Ⅰ, 16.

39) Gerald Marks Music and Marlong Music, *Oscar Peterson Piano Solos*, (Hal·

2) 〈당신은 날 젊게 느끼게 해요〉(You Make Me Feel So Young)

(1) 구조 분석

〈표 25〉〈You Make Me Feel So Young〉구조 1-90마디

〈You Make Me Feel So Young〉[40] B^b장조 / 4/4 박자		
형식	마디 구성	마디 수
인트로	1-4	4
A	5-12	8
A	13-20	-
B	21-28	-
A	29-36	-
A′	37-44	-
A	45-52	-
A	53-60	-
B	61-68	-
A	69-76	-
A′	77-84	-
아웃트로	85-90	6

(2) 화성 분석

Leonard Corporation), Transcriptions, 66-73.
40) WB Music Corp., *Oscar Peterson Piano Solos,* ©1946 (Milwaukee: Hal·Leonard Corporation. n.d.), 4-10.

<악보 28> <You Make Me Feel So Young> 1-12마디

1-4마디 Ⅰ/5-V7-Ⅰ/5-subV7sus4/V/F-subV7/V/F-V7의 코드 진행으로 도미넌트 페달(D.P) 포인트를 사용했고 21-22·61-62마디 셋째 박까지 토닉 페달(T.P)을 사용하였다. 5-6·13-14·29-30마디 Ⅰ-#Ⅰdim7-Ⅱm7의 디미니쉬드 세븐스 용법의 첫 번째 어센딩 용법 사용과 45-47마디에서는 Ⅰ-#Ⅰdim7-Ⅱm7-#Ⅱm7-Ⅰ6/3의 디미니쉬드 세븐스 용법의 첫 번째와 두 번째의 용법을 연속하여 사용하였는데 이 곡에서 디미니쉬드 세븐스 용법을 자주 사용한 피터슨의 연주주법의 독특함을 볼 수 있다. 7-8마디 (V7/Ⅱ)-subV7/V/5-V7의 화성 진행은 V7/Ⅱ이 Ⅱm7으로 해결하지 않고 subV7/V/5으로 반음 하행하였다. 12마디는 5개의 보이싱에서 4웨이 클로즈의 드롭 2를 하여 왼손에 단선율을 만들었다.

〈악보 29〉 〈You Make Me Feel So Young〉 16-24마디

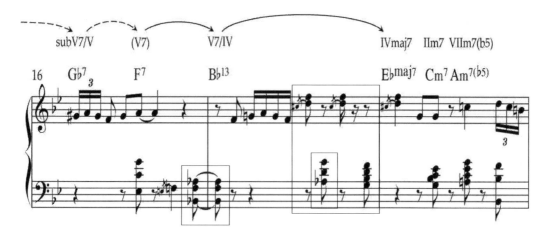

　16-17마디의 Ⅴ7이 Ⅰ로 진행하지 않고 Ⅴ7/Ⅳ으로 위장 해결하는 것이 특
이점이며 코드톤에서 3음을 뺀 화음과 17마디 셋째 박과 넷째 박에서 서로
교차하는 크로스 리듬, 포스 보이싱이 사용된 것을 볼 수 있다. 20마디 Ⅱ
m7-(Ⅴ7)의 진행에서 ♩의 ⌐3⌐ 잇단음을 양손 옥타브 유니즌 선율로 진행하
여 B부분으로 전환하는데 21-24마디의 연주를 보면 21마디는 트레몰로 주법
을 사용하였고 22마디에서는 글리산도로 처리하였다. 21마디 ♭Ⅶma7/B♭ 22마
디 (Ⅴ7/Ⅳ)와 Ⅰdim7이 사용되어 B♭장조가 인식되었다. 23-24마디에서는 릴
레이티드 Ⅱm7과 (Ⅴ7/Ⅳ) 사이에 Ⅰdim7으로 이어지는데 이때 (Ⅴ7/Ⅳ)인
B♭9과 근음이 같은 보조적 코드로 사용되었다. 원곡에서는 같은 부분에 릴레
이티드 Ⅱm7-(Ⅴ7/Ⅳ)이 4마디 동안 두 번 반복되어 진행되는데 피터슨의
연주곡에서는 같은 지점에 4마디 동안 ♭Ⅶmaj7-(Ⅴ7/Ⅳ)-Ⅰdim7-릴레이티드
Ⅱm7-Ⅰdim7-(Ⅴ7/Ⅳ)으로 진행되었다. 여기서는 Ⅰdim7을 사용하여 부드러

운 화성 진행을 하였다. 다음은 23마디에서 블록 코드를 사용하여 더욱 강한 음으로 다가가 24마디 선율의 C음을 한 옥타브 올려 단음으로 연주하였고 글리산도를 사용하여 인상적이며 극적인 연주를 하였다. 이와 같은 글리산도 연주는 22마디 첫 박(V7/IV) B♭9에서도 비슷한 위치에서 같은 방식으로 연주하였다는 것을 볼 수 있다. 블록 코드는 21마디 넷째 박 두 번, 22마디 셋째 박 길게 한 번, 23마디에서 네 번, 24마디 첫 박에서 힘 있는 선율로 연주하였다.

〈악보 30〉 〈You Make Me Feel So Young〉 41-51마디

　41-42마디 각각 3개, 2개의 코드가 진행되는데 중간에 2개, 1개의 코드가 전위 코드로 진행되어 41마디 선율이 E♭, D, C로 하행하고 왼손의 베이스라인이 C, D, E♭로 상행하여 서로 반진행 되고 42마디에는 선율이 G, A로 왼손은 베이스라인이 E, F로 반진행 하였다. 베이스라인은 C, D, E♭, E, F로 온음, 반음 간격으로 순차 상행 진행한 것을 볼 수 있다. 이와 같은 진행은 26마디 넷째 박에서 27마디, 66마디 넷째 박부터 67마디, 81마디에서 볼 수 있다. 43-44마디는 왼손이 쉬는 공간에 ♩의 「3」 잇단음으로 연속되는 필인(fill in)이 연주되었는데 B♭, D♭, E♭, E, F, A♭의 음계는 1, ♭3, 4, #4, 5, ♭7음으로 B♭ 블루스 스케일이 사용된 것을 볼 수 있다.

　45-47마디 첫 번째 코드까지 전형적인 디미니쉬드 세븐스 용법이 두 번 연속적으로 사용되었다. 47마디 두 번째 코드 세컨더리 도미넌트 코드가 반음 하행하여 IIm7으로 진행하지 않고 바로 뒤의 48마디 서브스티튜트 도미넌트 세븐 코드로 반음 하행하여 위장 해결하였고 서브스티튜트 도미넌트 세븐 코

드는 두 번째 코드 Ⅱm7을 지나 그 뒤의 세 번째 코드 프라이머리 도미넌트 코드로 예상 해결하였다. 이와 같은 독특한 연주방식이 같은 부분 7-8마디에서도 사용되었다. 이 앞부분 5-7마디에서 Ⅰ, #Ⅰdim7, Ⅰ6/3, Ⅱm7, subⅤ7/Ⅴ, Ⅴ7으로 진행하고 45-47마디에서는 Ⅰ, #Ⅰdim7, Ⅱm7, #Ⅱm7, Ⅰ6/3으로 진행하였다. 서로 다른점은 6마디에서는 Ⅱm7, subⅤ7/Ⅴ, Ⅴ7으로 진행하였고 46마디에서는 Ⅱm7, #Ⅱm7으로 다르게 진행한 것을 볼 수 있다. 이어서 (Ⅴ7)은 B♭maj7으로 진행하지 않고 B♭13으로 진행한 것은 코드의 근음은 같지만 세컨더리 도미넌트로 위장 해결하였고 E♭7으로 또 한 번 위장 해결한 것이다. 49마디에서는 B♭13과 E♭7 코드의 루트리스 보이싱이 연속 사용되었는데 E♭7은 50마디의 첫 박 컴핑으로 루트리스 4노트 보이싱을 사용하였다.

50-51마디 #Ⅳdim7-Ⅰ/3의 디미니쉬드 세븐 코드가 Ⅴ7 혹은 Ⅰ/5로 진행하지 않고 Ⅰ/3로 진행하여 온음 하행한 것은 근음이 다음에 오는 Ⅵm7의 코드로 완전5도 하행 진행하기 위한 피터슨의 창의적인 연주 방법으로 나타났다. 이 곡은 선율에서 ♩의 「3」 71번, ♪의 「3」 14번, ♩의 「6」 2번, ♩의 「6」 2번의 잇단음 사용하였다. 이 곡의 전체적인 왼손 화음을 보면 2노트 보이싱, 10도 음정 중간에 한음 추가한 화음, 루트리스 4노트, 블록 코드, 포스 보이싱이 사용된 것을 볼 수 있다.

〈악보 31〉 〈You Make Me Feel So Young〉 65-69마디

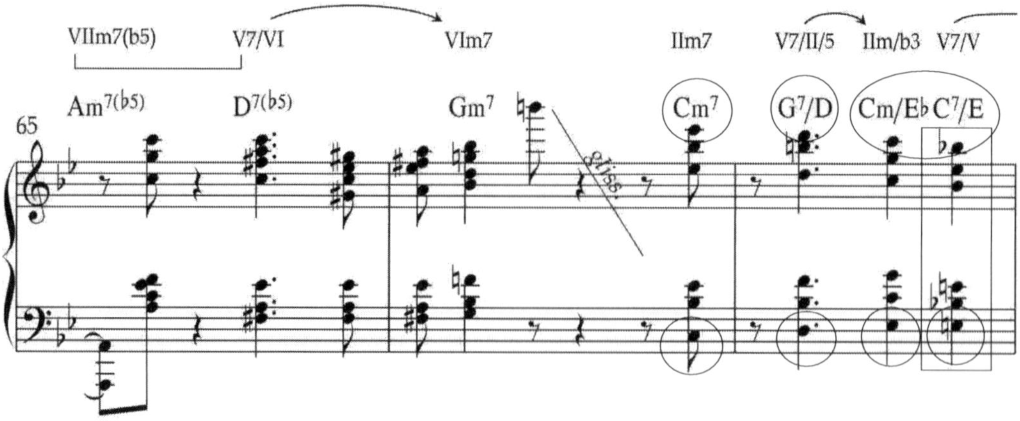

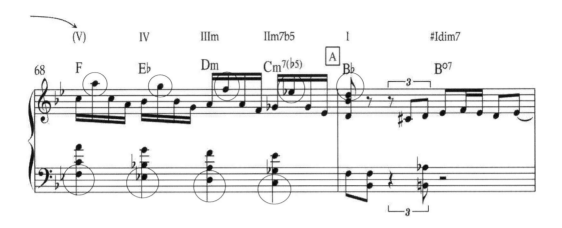

65마디 VIIm7(^{b}5)는 릴레이티드 IIm7(^{b}5)의 이중 기능으로 사용되었다. 66마디 넷째 박부터 69마디 첫 박까지의 진행에서 67마디의 전위 코드를 사용하여 왼손에서 C, D, E^{b}, E, F, E^{b}, D, C 로의 진행은 온음과 반음 간격으로 된 베이스라인을 만들었다. 오른손 선율에서는 스텝 와이즈 모션을 만들어 연주하였다. 선율에서 E^{b}, D, C, B^{b}, A, G, F, E^{b}, D로 계단식으로 선율을 하행하였고 67-68마디에서 선율과 베이스라인이 반진행 한 것을 볼 수 있다. 68마디에서는 스텝와이즈 선율과 베이스라인이 서로 엇갈리지만 규칙적인 간격으로 하행 진행하였다. 66마디 넷째 박부터 오른손은 옥타브에서 한음을 추가하여 선율을 만들었고 왼손에서는 10도 음정에 5, 6, 7음을 추가한 화음을 사용하였다.

〈악보 32〉 〈You Make Me Feel So Young〉 73-75, 85-90마디

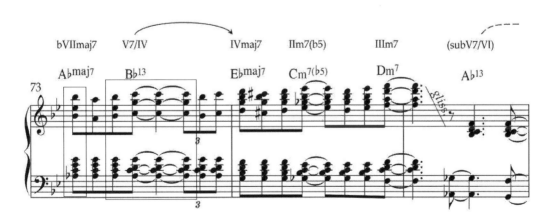

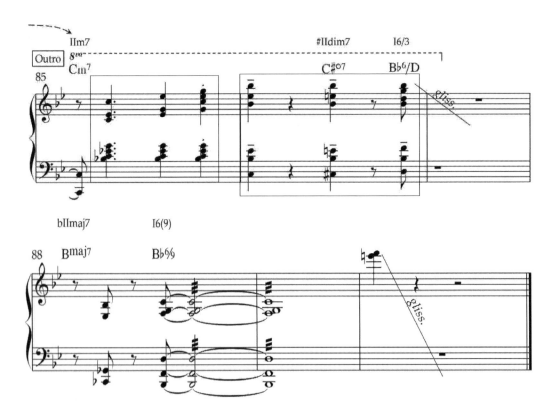

73-75마디에서는 블록 코드와 4노트 보이싱으로 선율과 리듬을 동시에 강하게 연주하는 가운데 싱코페이션 사용으로 강약의 위치를 바꿔 연주하고 프레이즈 끝부분에서 글리산도로 극적인 효과를 주었다.

다음으로 85-90마디 아웃트로에서의 연주기법을 살펴보면 85마디 왼손 보이싱은 같은 음으로 유지되고 선율은 상행하는 반면 86마디 베이스라인이 상행하고 선율은 같은 음으로 유지되는 사진행으로 강하지만 부드럽게 선율라인을 만들어 연주하였다. 이 부분은 디미니쉬드 세븐스 용법의 두 번째 Ⅱm7, #Ⅱm7, Ⅰ/3(Bᵇ/D)를 사용 후에 ᵇⅡmaj7, Ⅰ6(9) (Bᵇ6(9))으로 진행한 피터슨의 화성 진행기법이다. 마지막 코드가 86마디에서 Bᵇ/D로 여운을 남기고 마친듯하다가 88마디에서 Bᵇ6(9)로 다시 연주되고 트레몰로 연주 후에 글리산도로 마무리한 것 또한 곡의 마침을 강조한 피터슨의 특징적이고 인상적이며 극적인 연주기법으로 볼 수 있다. 곡의 표현에서 8va, 스타카토, 테누토, 싱코페이션, 악센트, 꾸밈음, 잇단음, 트레몰로, 글리산도의 사용에서 그의 스타일을 볼 수 있다.

(3) 화성 진행과 리하모니제이션

<표 26> 〈You Make Me Feel So Young〉 화성 진행과 리하모니제이션

〈You Make Me Feel So Young〉 피터슨의 연주곡에 나타난 화성 진행과 리하모니제이션	
1-90마디, B♭장조, 4/4박자 형식과 마디 구성: 인트로(4), A(8), A(8), B(8), A(8), A´(8)*2 / 아웃트로(4)	
화 성	1-4마디 I/5- V7- I/5-subV7sus4/V/F-subV7/V/F- V7의 코드 진행으로 도미넌트 페달(D.P) 포인트를 사용했다. 21-22·61-62마디 셋째 박까지 토닉 페달(T.P) 사용하였다.
	* 5-6·13-14·29-30마디 I -#I dim7-IIm7의 디미니쉬드 세븐스 용법 어센딩 사용 * 7-8마디 (V7/II)-subV7/V- V7의 화성 진행은 V7/II이 IIm7으로 해결하지 않고 subV7/V으로 반음 하행한 진행은 여러 곳에서 나타난다. * 47-48마디에서 3가지 코드 진행이 특이하다. * 50-51마디 (subV7/III)-#IVdim7- I6/3의 진행 중간에 디미니쉬드 세븐의 코드가 V7 혹은 I/5로 진행하지 않고 I6/3로 진행하여 온음 하행하므로 다음에 오는 VIm7으로 근음이 완전5도 하행하여 진행하기 위한 피터슨의 연주 방법으로 나타났다.
	* 20-24마디: 20마디 (V7)에서 21마디 B부분으로 바뀌는데 ♭VIIma7이 사용되었다. 22마디 (V7/IV)와 I dim7 사용되어 B♭장조가 인식되고 23-24마디에는 릴레이티드 IIm7과 (V7/IV)의 사이에 I dim7의 코드가 뒤에 오는 (V7/IV)과 근음이 같은 보조적 코드로 사용되었다. 원곡에서는 같은 부분에 릴레이티드 IIm7-(V7/IV)이 4마디 동안 두 번 반복된 진행인데 피터슨의 연주곡에서는 같은 지점에 4마디 동안 ♭VIIma7-(V7/IV)- I dim7-릴레이티드 IIm7- I dim7-(V7/IV)으로 진행했다. 여기서 I dim7을 사용한 부드러운 화성 진행을 볼 수 있다.
	* 41-42마디 전위 코드로 선율과 베이스라인을 서로 반진행으로 연주하였다. 이와 같은 진행은 26-28·66-68·81-82마디에서 볼 수 있다.
	* 43-44마디에서 왼손이 쉬는 공간에 ♩의 「3」 잇단음으로 연속되는 필

	인이 연주되었다. 여기서 ♩의 「3」 잇단음으로 연속되는 필인(fill in) 연주는 B♭, D♭, E♭, E, F, A♭의 음으로 연결되는 1, ♭3, 4, #4, 5, ♭7음의 블루스 스케일이 사용되었다.
	* 45-46·53-55마디 두 번의 디미니쉬드 세븐스 용법이 I -# I dim7- II m7-# II m7- I /3으로 연속 어센딩 진행, 58-59·85-86마디 # II m7- I /3, II m7-# II m7- I /3의 어센딩 진행을 하였다. * 65마디 VII m7(♭5)는 릴레이티드 II m7의 이중 기능으로 사용되었다. 66마디 넷째 박부터 69마디 첫 박까지의 진행에서 67마디의 전위 코드를 사용하여 왼손 보이싱의 근음이 C, D, E♭, E, F, E♭, D, C 음으로 온음과 반음 간격으로 된 베이스라인을 만들었다. * 73-75마디 오른손과 왼손이 동시에 강한 울림을 주는 블록 코드를 사용하였다. * 22·24·35·37·62·64·66·75·86·90마디: 글리산도(glissando) 주법을 1-90마디의 곡에서 10번 사용한 것은 이 곡에서 피터슨의 연주 스타일로 나타났다.
	* 조성은 그대로 두고 논다이어토닉 코드를 사용하여 조성을 벗어나는 화성진행으로 조성의 모호함을 가져왔다. * 논다이어토닉 코드들은 세컨더리 도미넌트, 서브스티튜트 도미넌트, 디미니쉬드 세븐, 모달 인터체인지 코드를 사용하여 반음 상행과 하행하는 선율과 베이스라인을 만들었다. * 아웃트로 부분에서 조성의 으뜸화음으로 마친듯하다가 다시 으뜸화음의 구성음을 달리하여 한 번 더 연주하는 피터슨의 연주기법을 볼 수 있다.
보 이 싱	* 포스 보이싱 사용은 6마디는 오른손에서 사용하였고 17마디는 왼손에서 사용하였다. 6마디는 왼손에서 근음 7음을 상호보조적으로 사용하였고 17마디에서는 왼손 단독 크로스 컴핑 보이싱으로 사용되었다. * 10도 음정에 5, 6, 7음 중 한음 추가한 화음, 1, 5, 7음으로 된 화음 사용, 1, 7음, 1, 6음을 사용하였다. * 9마디 셋째 박과 넷째 박, 21, 33, 73마디 등에서 루트리스 4노트 보이싱을 사용하였다.
선 율	* 싱코페이션 사용으로 선율과 리듬에서 강약의 위치 바꿔 연주하였다. * 21, 33, 73마디, 오른손에서 블록 코드와 왼손에 보이싱을 수직으로 놓여 선율과 리듬을 동시에 연주하였다, *21, 33, 73마디 왼손에서 루트리스 4노

& 리 듬	트 보이싱을 사용하였다. * 양손에서 사용한 유니즌은 20, 60마디 셋째 박과 넷째 박에서 사용하였다. * 양손 화음으로 강하게 연주하는 트레몰로를 21, 61, 88마디에서 사용하였다. * 오른손에서 글리산도의 사용을 22, 24, 35, 37, 62, 64, 66, 75, 87, 90마디에서 사용하여 인상적이며 극적 효과를 주었다.(*1-90마디의 곡인데 10번 사용) * 43-44마디 ♩의 ⌐3⌐ 잇단음 필인 연주에서 1, ♭3, 4, #4, 5, ♭7음의 B♭ 블루스 스케일이 사용되었다. * 선율에서 ♩의 ⌐3⌐ 71번, ♪의 ⌐3⌐ 14번, ♩의 ⌐6⌐ 2번, ♩의 ⌐6⌐ 2번의 잇단음을 사용하여 선율과 리듬에 다양한 변화를 주었다. * 크로스 리듬 9마디, 16-17마디 등에서 사용하였다. * 스텝 와이즈 모션 67-69마디 첫 박까지 D, C, B♭, A, G, F, E♭, D로 계단식으로 선율을 하행하였는데 온음, 온음, 반음, 온음, 온음, 온음, 반음으로 하행한 것을 볼 수 있다.

(4) 원곡과 비교분석

원곡 〈You Make Me Feel So Young〉은 Josef Myrow(1910-1987)가 작곡하고 Mack Gordon(1904-1959)이 가사를 써 1946년 발표한 대중가요이다. 〈악보 33〉의 원곡 분석을 보겠다.

〈악보 33〉 〈You Make Me Feel So Young〉 원곡 2

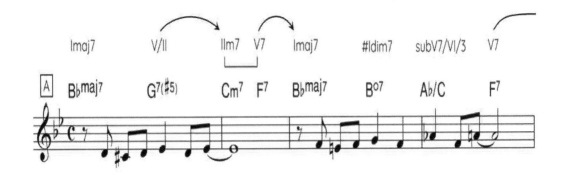

아래 〈표 27〉은 위에서 분석한 〈You Make Me Feel So Young〉의 헤드 1을 도식화한 표이다.

〈표 27〉 〈You Make Me Feel So Young〉 원곡과 비교분석

형식	원곡41) 〈B♭장조〉 4/4		피터슨 연주곡42) 〈B♭장조〉 4/4	
	마디	분석 기호	마디	분석 기호
인트로			1-4	I /5
				V 7
				I /5
				subV 7sus4/V/F, subV 7/V /F, V 7
A	1-4	I maj7, V 7/II	5-8	I , #I dim7
		IIm7, V 7		IIm7/5, subV 7/V, V 7, V 7(♭9)
		I maj7, #I dim7		I /3, (V 7/II)
		(subV 7/VI/3), V 7		subV 7/V /5, V 7
	5-8	I maj7, V 7/IV	9-12	I maj7, V 7/IV
		IVmaj7, IIm7		IVmaj7, IIm7, VIIm7(♭5)
		IIIm7, VIm7		IIIm7, VIm7
		IIm7, V 7		V 7, subV 7
A	9-12	I maj7, V 7/II	13-16	I , #I dim7
		IIm7, V 7		IIm7, subV 7/V, V 7, V 7(♭9)
		I maj7, #I dim7		I /3, (V 7/II)
		(subV 7/VI/3), V 7		subV 7/V, (V 7)
	13-16	I maj7, V 7/IV	17-20	V 7/IV
		IVmaj7, IIm7		IVmaj7, IIm7, VIIm7(♭5)
		IIIm7, VIm7, subV 7/V		IIIm7, VIm7
		V 7		IIm7, (V 7)
B	17-20	릴레이티드 IIm7	21-24	♭VIImaj7
		V 7/IV		(V 7/IV), #I dim7
		릴레이티드 IIm7		릴레이티드 IIm7, #I dim7
		V 7/IV		(V 7/IV)
	21-24	VIIm7(♭5), V 7/VI	25-28	VIIm7(♭5), V 7/VI
		VIm7		VIm7, IIm7
		IIm7		V 7/II/5, IIm/3, V 7/V /3
		V 7		(V 7), IVmaj7, IIIm, IIm7(♭5)
A	25-28	I maj7, V 7/II	29-32	I , #I dim7
		IIm7, V 7		IIm7, subV 7/V, V 7, V 7(♭9)
		I maj7, #I dim7		I /3, (V 7/II)
		subV 7/VI/3, V 7		(subV 7/VI), (V 7)
	29-32	I maj7, V 7/IV	33-36	♭VIImaj7, V 7/IV
		IVmaj7, IIm7(♭5)		IVmaj7, IIm7(♭5), IIIm7
		IIIm7, V 7/II		(subV 7/VI)
		IIm7, (V 7)		V 7/II

A´	33-36	IIIm7, V7/II	37-40	IIm7, subV7/V		
		IIm7, V7		(V7)		
		Imaj7, (subV7/VI)		(subV7/VI)		
		V7/II		V7/II		
	37-40	IIm7	41-44	IIm7, V7/II/5, IIm/♭3		
		V7sus4, V7		V7/V/3, V7		
		I6(9)				

| 리듬 | 미디엄 스윙 - 리듬 특징
① ♪♩♩♩♩ ♩♪┌3┐。\|
② ♪♩♩♩♩ ♩ \| ♩ ♩♩♩♩ \|
③ ♩ ♩♩. ♩♪┌3┐♩ ♩♩♩♩. \| ♩. ♩♩♩♪ \|
④ ♩♪ ♩♪ ♩ \| ♩ ♩ ₹ \|
⑤ ♩♩♩♩♩♩ ♪ \| ♩ ♩ ♩♪ \|
⑥ ♩의 ┌3┐ ♩ ♩♩┌3┐。\| | 미디엄 스윙(♩=132)
* ♪의 ┌3┐ → (♩♩♩),
* ♩의 ┌3┐ → (♩♩♩), (♪♩♩), (♩ ♪), (♩♩),
(♪♪♪), (₹ ♩), ┌6┐ → (♩♩♩♩♩♩)
* ♩의 ┌3┐ → (♪♩♪♩♪♩) 잇단음 사용으
로 다양한 리듬을 만들어 사용.
* 빈도수 순서 ♩의 ┌3┐, ♪의 ┌3┐, ♩
의 ┌6┐, * ♩의 ┌3┐, 크로스 리듬 |

| 스케일 | * 다이어토닉, 논다이어토닉 코드- 믹소리디안, 서브스티튜트 도미넌트, 디미니쉬드 세븐, 도리안, 로크리안, 홀 톤, 리디안, 리디안 ♭7, B♭ 블루스 스케일 | * 다이어토닉, 논다이어토닉 코드-믹소리디안, 디미니쉬드 세븐, 도리안, 로크리안, 홀 톤, 리디안, 리디안 ♭7, 의 스케일 사용, 릴레이티드 IIm7의 이중 기능, B♭ 블루스 스케일 |

| 코드 변주 | IIm7-V7의 연속적으로 2번 또는 4번의 진행, 디미니쉬드 세븐, 홀 톤, 전위 코드, 릴레이티드 IIm7의 이중 기능, 다이어토닉·논다이어토닉 코드 사용 | IIm7-V7의 진행 사이에 subV7 추가하여 꾸밈, 디미니쉬드 세븐스 용법의 어센딩, 전위 코드, 홀 톤, 보조적 코드, 릴레이티드 IIm7의 이중 기능 사용, 다이어토닉·논다이어토닉 코드 사용하여 선율과 리듬을 유기적으로 변형 |

| 페달링 | 연주자 임의대로 | D.P, T.P, 연주자 임의대로 |

| 표현 | 갖춘마디, 싱코페이션 | 인트로, 아웃트로, 싱코페이션, 홑앞꾸밈음, 겹앞꾸밈음, 선율에 적용된 프랄트릴러(Pralltriller-(˜)잔결꾸밈음), 스타카토, 테누토, 글리산도, 트레몰로, 8va, 스텝 와이즈 모션, 유니즌 |

---

41) The Real Book에 나오는 Standard Jazz III, 351.
42) WB Music Corp, ©️ 1946, *Oscar Peterson piano Solo*, (Hal·Leonard Corporation), Transcriptions, 4-10.

3) 〈라운드 미드나잇〉('Round Midnight)

(1) 구조 분석

〈표 28〉 〈'Round Midnight〉 구조 1-109마디

〈'Round Midnight〉[43]/ G♭장조 / 섞음 박자			
형식	마디 구성	마디 수	비고
인트로	1-8	8	*발라드-섞음박자: 4/4, 3/4, 4/4, 2/4, 3/4, 6/4, 3/4, 3/8, 2/4, 4/4, 5/8, 4/4, 3/4, 4/4, 5/4, 4/4, 6/4, 5/4, 4/4, 5/4, 4/4, 6/4, 4/4, 3/4, 4/4, 5/4, 4/4, 3/4, 4/4의 변화
A	9-17	9	
A	18-27	10	
B	28-40	13	
A	41-51	11	
B	52-63	12	
A	64-71	8	
B	72-79	–	
A	80-92	13	
A	93-103	11	
아웃트로	104-109	6	

(2) 화성 분석

---

43) Thelonious Music Corp. and Warner Bros. Inc., *Oscar Peterson,* ©1944 (Renewed 1971) (Milwaukee: Hal·Leonard, Corporation, n.d.), 184-197.

<악보 34> <'Round Midnight> 1-8마디

1-2마디는 Ⅱm7/5-Ⅵm-Ⅴ7/Ⅱ/3-Ⅱm7로 진행되고 4-6마디에서는 Ⅴ7/Ⅵ-Ⅱm7/5-Ⅵm-Ⅴ7/Ⅱ/3-Ⅱm7로 진행된다. Ⅱm7/5-Ⅵm-Ⅴ7/Ⅱ/3-Ⅱm7의 반복 진행 앞에서 Ⅴ7/Ⅵ이 추가되어 3마디 동안 확대되어 진행되었다. 1-2, 4-6마디의 진행에서 Ⅱm7/5는 2전위한 Eᵇ의 베이스 음이 뒤의 코드 Ⅵm의 근음과 같은 보조적 코드로 사용되었다. Ⅴ7/Ⅱ/3의 코드 진행은 1전위한 베이스 G음이 뒤에 오는 코드 Aᵇm11인 Ⅱm7으로 반음 상행하고 Ⅴ7/Ⅱ/3인 Eᵇ7/G의 코드는 Aᵇm7으로 완전5도 하행하는 코드의 근음을 오른손 내성에 적용하여 음색을 다르게 연주한 것을 볼 수 있다. 1-2·5마디는 2전위 코드로 페달톤을 만들었고 1전위하여 반음 상행하는 베이스 선율을 만들었다. 1-8마디에서 싱코페이션 사용으로 선율과 리듬의 변화를 주었다. 또한 1옥타브, 2옥타브를 높여서 넓은 음역으로 고저의 화려하고 아름다운 음색을 표현하기 위해 아르페지오를 위에서 아래로, 옥타브 음정을 아래에서 위로 연주하였다. 왼손 화성은 근음과 5음, 근음과 ᵇ7, 10도 음정과 10도 음정 중간에 ᵇ7음을 추가하였다. 코드톤에서 3음이 없는 화음이 사용되고 3·6·10-12·25마디 등에서는 오른손에서 클러스터 보이싱이 사용되었다.

〈악보 35〉 〈'Round Midnight〉 9-11마디

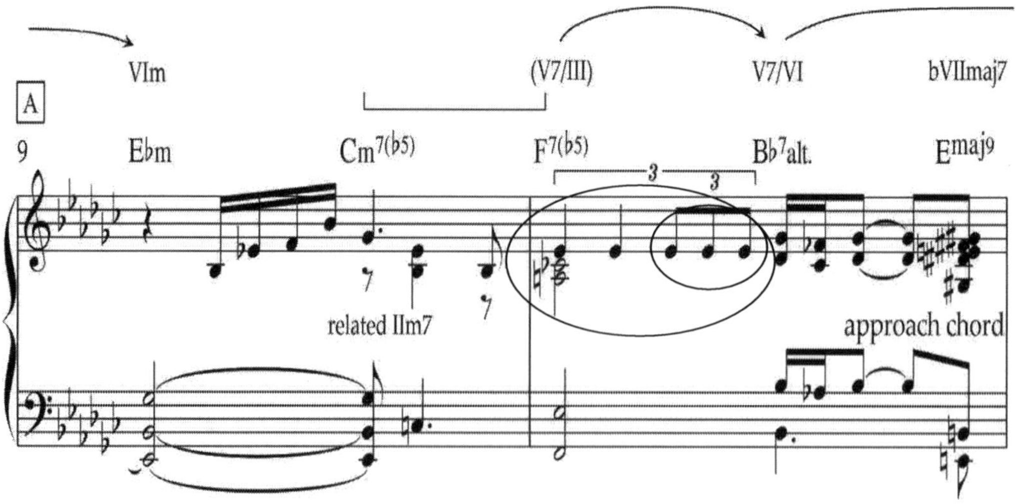

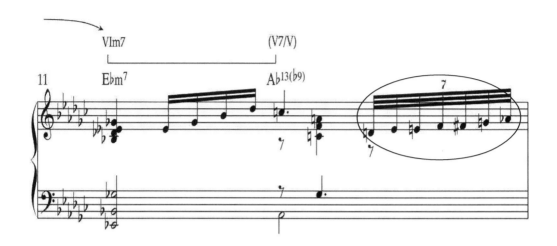

9-11마디를 보면 9마디의 두 번째 코드부터 Cm7(^{b}5), F7(^{b}5), B^{b}7alt, (Emaj9), E^{b}m7, A^{b}13(^{b}9)의 진행에서 근음이 완전5도씩 하행하는 중간에 Emaj9인 ^{b}VIImaj7으로 분석되는 코드가 E^{b}m7인 VIm7을 꾸미는 어프로치코드로 사용된 것을 알 수 있다. 10마디 선율은 ♩의 「3」 잇단음 안에서 ♩의 「3」 잇단음을 사용하였고 11마디 ♪의 「7」 잇단음을 사용하여 빠른 스케일로 연주하고 왼손을 간결하게 연주하는 것은 그의 발라드 연주기법 중 하나로 볼 수 있다.

〈악보 36〉 〈'Round Midnight〉 12-15, 24-27, 54-55마디

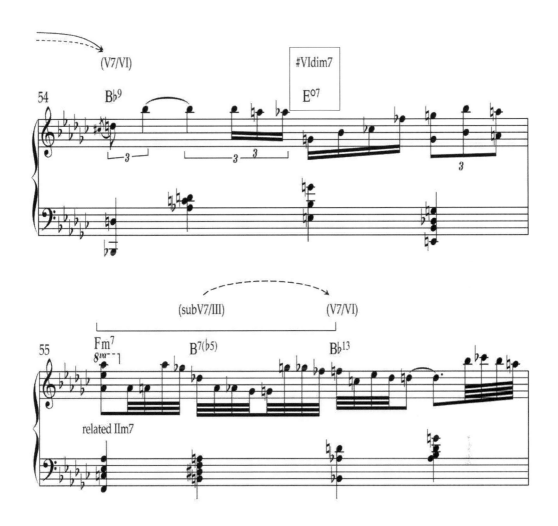

　　12-13, 44-45마디에서는 릴레이티드 Ⅱm7-subⅤ7/Ⅵ-Ⅲm7-Ⅴ7/Ⅱ-Ⅱm7로
진행하였고 96-98마디에서도 이와 같은 화성 진행을 하였다. 이어지는 13, 45마
디와 98마디의 셋째 박과 넷째 박에서의 진행을 보면 13, 45마디의 Dm7-G13(♭9)인
릴레이티드 Ⅱm7-subⅤ7 진행이 98마디에서는 Dm7-D♭7(♭9)-G13(♭9)인 릴레이티
드 Ⅱm7-Ⅴ7-subⅤ7으로 진행되어 다음 마디에서 Ⅰmaj7으로 해결하게 된다. 여
기서 Dm7, G13(♭9)의 중간에 D♭7(♭9)(Ⅴ7)이 추가된 것이 다르다는 것을 알 수 있다.
이와 같은 부분에서도 피터슨의 화성 사용 방식을 알 수 있다. 15마디 Cm7(♭5),
F7(♯11)의 진행 중간에 나타난 G♭9은 Ⅴ7/Ⅳ으로 분석되는데 F7(♯11)인 (Ⅴ7/Ⅲ)
을 꾸며주는 어프로치코드로 사용되었다. 25마디는 Cm7(♭5), F13, B♭7의 진
행에서 F13과 B♭7으로 진행하는 사이에 (subⅤ7/Ⅲ)인 B13(♯11)을 사용하여

꾸며주었다. 26-27마디에서는 (subⅤ7/Ⅵ)인 E9이 (Ⅴ7/Ⅱ)인 Eᵇ7으로 진행하는 중간에 Aᵇ7/Eᵇ은 뒤의 코드 Eᵇ7과 근음이 같은 보조적 코드로 사용된 것을 볼 수 있다. 13마디는 첫 박에서 둘째 박까지 선율과 지속음 위의 테너 선율이 반 진행 되었다. 14마디와 24마디에서는 첫 박과 둘째 박까지 오른손과 왼손 모두에서 지속음을 사용하였고 내성에서 유니즌 선율을 사용하였다.

54마디 두 번째 코드 ⁺Ⅵdim7인 Edim7과 55마디 Fm7의 진행은 디미니쉬드 용법에 없는 진행으로 피터슨이 창의적인 화성으로 연주하였음을 알 수 있다.

〈악보 37〉 〈'Round Midnight〉 56-60마디

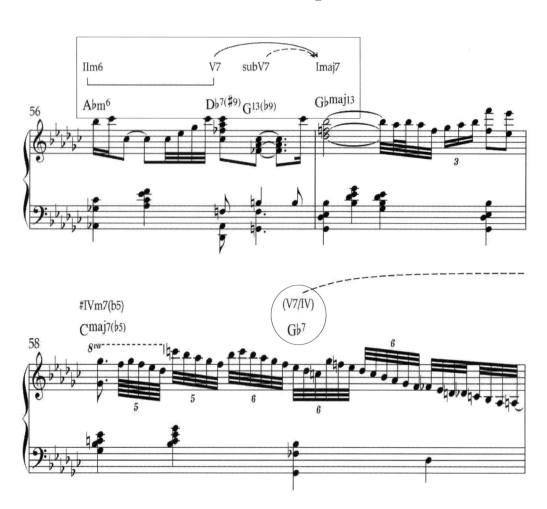

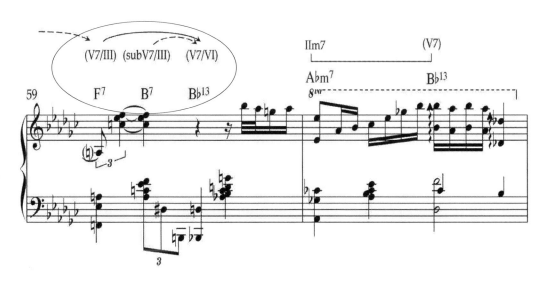

56마디 Ⅱm6-Ⅴ7는 완전5도 하행, 98마디 릴레이티드 Ⅱm7-Ⅴ7는 반음 하행하였다. 56-57마디에서 Ⅱm6, Ⅴ7, subⅤ7, Ⅰmaj7(A♭m6, D♭7(♯9), G13(♭9), G♭maj13)는 완전5도씩 하행하는 진행 사이에 subⅤ7이 반음 하행하여 Ⅰmaj7을 2가지로 꾸몄다. 98-99마디는 릴레이티드 Ⅱm7, Ⅴ7, subⅤ7, Ⅰmaj7(Dm7, D♭7(♭9), G13(♭9), G♭maj7)의 진행에서 반음 하행과 완전5도로 진행하는 사이에 subⅤ7이 반음 하행하여 Ⅰmaj7을 2가지로 꾸몄다.

58-59마디 G♭7인 (Ⅴ7/Ⅳ), F7인 (Ⅴ7/Ⅲ), B7인 (subⅤ7/Ⅲ), B♭13인 (Ⅴ7/Ⅵ)으로 진행하는데 첫 번째 세컨더리 도미넌트가 Fmaj7이 아닌 F7으로 진행하였다. 다음은 F7이 B♭13으로 반음 하행하는 중간에 서브스티튜트 도미넌트 세븐인 B7이 반음 하행하여 B♭m7으로 진행하지 않고 B♭7(13)으로 진행되는 도미넌트들이 모두 위장 해결된 것을 볼 수 있다. 이러한 진행은 조성의 변화는 주지 않았지만 조성을 넘나들 수 있는 논다이어토닉 코드들을 사용하여 선율과 리듬의 관계를 세련되고 간결하게 연결한 피터슨의 연주기법으로 볼 수 있다. 그는 56마디 ♪의 「3」, 58마디 ♪의 「5」, ♪의 「5」, ♪의 「6」 잇단음으로 빠른 스케일로 연주하고 왼손은 스트라이드 주법으로 연주하였다. 이 곡에서 사용된 잇단음과 빈도수는 ♩의 「3」 44번, ♪의 「3」 35번, ♪의 「3」 21번, ♪의 「5」 14번, ♪의 「6」 9번, ♩의 「10」 6번, ♪의 「6」 5번, ♩의 「10」 6번, ♩의 「7」 3번, ♪의 「7」 3번, ♩의 「3」 3번, ♪의 「5」 2번, ♪의 「3」 2번, ♩의 「11」 2번, ♩의 「9」 2번, ♩의 「12」 1번, ♪의 「9」

1번으로 나타났다.

〈악보 38〉 〈'Round Midnight〉 88-90, 92마디

88마디는 양손의 코드 스케일과 아르페지오의 연주에서 5옥타브까지 넓은 음역대로 연주하였으며 66, 97, 100, 103마디 등에서는 반음계를 포함한 3옥타브 이상의 아르페지오로 화려하게 연주하였다.

89-90, 92마디의 제시된 유니즌 연주 외에도 20, 24, 31-32, 33-35, 39-40, 46, 67, 70, 85, 86, 89-92, 98. 99마디에서 양손 유니즌으로 연주하였다. 31-32, 39-40, 67, 70, 86, 89-92마디에서 2옥타브 아래 유니즌으로 양손에서 코드 스케일 및 반음계 또는 음표의 잇단음을 포함하여 아르페지오로 빠르게 연주하였다. 부분적으로 사용한 유니즌은 14, 20, 24, 35, 46, 85, 98, 99마디에서 사용되었는데 지속음 없이 양손 유니즌을 사용하기도 하고 지속음 아래, 위의 내성에서 양손으로 사용하기도 하였다. 그는 못갖춘마디 ♩와 92마디 ♪, ♪의 늘임표(⌒) 사용으로 안정감, 8마디에서 8ᵛᵃ, 15ᵐᵃ 사용으로 넓은 음역대 연주, 15마디에서는 왼손의 싱코페이션과 2노트 보이싱과 선율에 악센트를 사용하여 더욱 선명하게 연주하였다.

(3) 화성 진행과 리하모니제이션

<표 29> 〈'Round Midnight〉 화성 진행과 리하모니제이션

〈'Round Midnight〉 피터슨의 연주곡에 나타난 화성 진행과 리하모니제이션	
1-109마디, Gᵇ장조, 섞음 박자 인트로(8), A(9), A(10), B(13), A(11), B(12), A(8), B(8), A(13), A(11), 아웃트로(6)	
화성	* 1-2마디의 진행은 Ⅱm7/5-Ⅵm-Ⅴ7/Ⅱ/3-Ⅱm7이다. 5-6마디에서 반복하는데 이 진행 앞에 Ⅴ7/Ⅵ이 진행된다. 여기서 Ⅱm7/5는 2전위한 Eᵇ의 베이스 음은 뒤의 코드 Ⅵm의 근음과 같은 보조적 코드로 사용하였다. * Ⅴ7/Ⅱ/3의 코드 진행은 1전위 한 베이스 음을 사용하여 뒤에 오는 Ⅱm7으로 반음 상행하는 진행을 하였다.
	* 9-10마디, 릴레이티드 Ⅱm7-(Ⅴ7/Ⅲ)-Ⅴ7/Ⅵ의 진행과 같거나 중간에 추가된 코드 진행은 15-16, 18-19, 28-29, 25, 28-29마디 등에서 사용하였다.
	* 12-13마디와 44-45마디에서 릴레이티드 Ⅱm7-subⅤ7/Ⅵ-Ⅲm7-Ⅴ7/Ⅱ-Ⅱ

	m7, 비슷한 진행은 96-97마디 Ⅱm7-subⅤ7/Ⅵ-Ⅰm7-Ⅴ7/Ⅱ-Ⅱm7의 진행이다.
	* 54마디 두 번의 디미니쉬드 세븐스 용법이 [#]Ⅵdim7-Ⅶm7-(subⅤ7/Ⅲ)-(Ⅴ7/Ⅵ)의 진행에서 [#]Ⅵdim7-Ⅶm7은 디미니쉬드 세븐스의 용법에 없는 피터슨의 창의적인 화성 잔행이다.
	* 56마디 Ⅱm6-Ⅴ7는 완전5도 하행, 98마디 릴레이티드 Ⅱm7-Ⅴ7는 반음 하행 * 56-57마디에서 Ⅱm6-Ⅴ7-subⅤ7-Ⅰmaj7(A♭m6, D♭7(♯9), G13(♭9), G♭maj13)는 완전5도씩 하행하는 진행 사이에 subⅤ7이 반음 하행하여 Ⅰmaj7을 2가지로 꾸밈 * 58-59마디 도미넌트 세븐 코드들의 위장 해결이다. * 98-99마디는 릴레이티드 Ⅱm7-Ⅴ7-subⅤ7-Ⅰmaj7(Dm7, D♭7(♭9), G13(♭9), G♭maj7)의 진행에서 반음 하행과 완전5도 진행하는 사이에 subⅤ7이 반음 하행하여 Ⅰmaj7을 2가지로 꾸몄다.
	* 섞음박자의 발라드곡 연주에서 잇단음을 사용하여 빠른 스케일과 아르페지오의 연주에서 대조적으로 왼손에서는 ♩ ♩. ♩를 사용하였는데 ♩를 지속음으로 여러번 사용하였다. 또한 단7도 음정 위에 완전4도, 증4도, 3음을 뺀 화음과 10도 음정을 자주 사용한 것을 볼 수 있다. * 기본 조성을 중심으로 선율과 리듬을 전개하고 논다이어토닉 코드를 사용하여 모호한 조성감을 가질 수 있었다.
	* 논다이어토닉 코드들은 세컨더리 도미넌트, 서브스티튜트 도미넌트, 디미니쉬드 세븐, 모달 인터체인지 코드 사용을 사용하여 반음 상행과 하행하는 선율과 베이스라인을 만들었다. * 왼손 코드의 근음이 대부분 사용되었고 전위 코드를 간혹 사용한 것을 볼 수 있다.
보 이 싱	* 왼손 화성은 근음과 5음, 근음과 ♭7, 10도 음정과 10도 음정에 중간에 ♭7음이 추가되었으며 코드톤에서 3음이 없는 화음을 사용하였고 3, 6, 10, 11마디 등 오른손에서 클러스터 보이싱이 사용되었다.
선 율 & 리	섞음박자: 4/4, 3/4, 4/4, 2/4, 3/4, 6/4, 3/4, 3/8, 2/4, 4/4, 5/8, 4/4, 3/4, 4/4, 5/4, 4/4, 6/4, 5/4, 4/4, 5/4, 4/4, 6/4, 4/4, 3/4, 4/4, 5/4, 4/4, 3/4, 4/4의 변화로 연주하였다. * 13, 23마디는 첫 박에서 둘째 박까지 선율과 지속음 위의 테너 선율이 반

	진행하였다.
	* 14마디와 24마디에서는 첫 박과 둘째 박까지 오른손과 왼손에서 지속음을 사용하였고 내성에서 유니즌 선율을 사용하였다.
	* 본문에 제시된 악보 89-90, 92마디의 제시된 유니즌 연주 외에도 20, 24, 31-32, 33-35, 39-40, 46, 67, 70, 85, 86, 89-92, 98. 99마디에서 양손 유니즌으로 연주하였다. 31-32, 39-40, 67, 70, 86, 89-92마디에서 2옥타브 아래의 유니즌으로 양손에서 코드 스케일 및 반음계 또는 여러 음표의 잇단음을 포함하여 아르페지오로 빠르게 연주하였다.
듬	* 부분적으로 사용한 유니즌은 14, 20, 24, 35, 46, 85, 98, 99마디에서 사용되었는데 지속음 없이 양손 유니즌을 연주하기도 하고 지속음 아래, 위의 내성에서 양손으로 유니즌으로 연주하였다.
	* 넓은 음역대로 66, 88, 97, 100, 103등에서 반음계를 포함한 3옥타브 이상의 아르페지오로 화려하게 연주하였다.
	* 잇단음표는 3·5·6·7·10 잇단음을 자주 사용하였다.
	* 사용된 잇단음 빈도수는 ♩의 「3」 44번, ♪의 「3」 35번 ♩의 「3」 21번, ♪의 「5」 14번, ♪의 「6」 9번, ♩의 「10」 6번, ♪의 「6」 5번, ♩의 「10」 6번, ♩의 「7」 3번, ♪의 「7」 3번, ♩의 「3」 3번, ♪의 「5」 2번, ♩의 「3」 2번, ♩의 「11」 2번, ♩의 「9」 2번, ♩의 「12」 1번, ♪의 「9」 1번 사용하였다.

(4) 원곡과 비교분석

원곡 〈'Round Midnight〉는 Bernie Hanighen(1908-1976) 작사, Thelonious Monk(1917-1982)와 Cootie Williams(1911-1985)가 작곡했다. 아래 〈악보 39〉의 원곡 분석을 보겠다.

〈악보 39〉 〈'Round Midnight〉 원곡 3

- 120 -

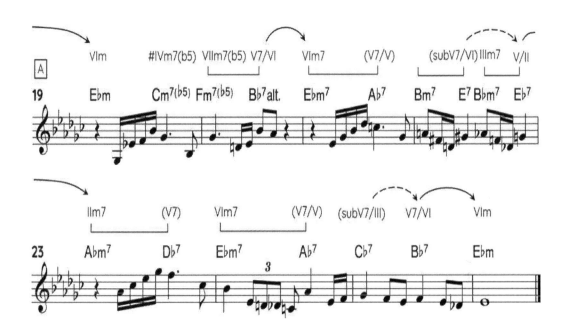

아래 〈표 30〉은 위에서 분석한 〈'Round Midnight〉의 헤드 1을 도식화한 표이다.

〈표 30〉 〈'Round Midnight〉 원곡과 비교분석

〈'Round Midnight〉 A부분 분석				
형식	원곡44) 〈G♭장조〉		피터슨 연주곡45) 〈G♭장조〉	
	마디	분석 기호	마디	분석 기호
인트로			1-4	Ⅱm7/5, Ⅵm
				Ⅴ7/Ⅱ/3, Ⅱm7,
				Ⅳadd2
				Ⅴ7/Ⅵ
			5-8	Ⅱm7/5, Ⅵm, Ⅴ7/Ⅱ/3
				Ⅱm7
				(Ⅴ7/Ⅲ)
				Ⅴ7/Ⅵ

A	1-4	VIm, #IVm7(♭5)	9-12	VIm, 릴레이티드 Ⅱm7
		VIIm7(♭5), V7/VI		(V7/Ⅲ), V7/VI, ♭VIImaj7
		VIm7, (V7/V)		VIm7, (V7/V)
		릴레이티드 Ⅱm7, (subV7/VI), Ⅲm7, V7/Ⅱ		릴레이티드 Ⅱm7, (subV7/VI), Ⅲm7, V7/Ⅱ
	5-8	Ⅱm7, (V7)	13-16	Ⅱm7, 릴레이티드 Ⅱm7, subV7
		VIm7, (V7/V)		I maj7, (V7/V)
		1. (subV7/Ⅲ)		릴레이티드 Ⅱm7, (V7/Ⅳ), V7/Ⅲ
		V7/VI ‖ 2. (subV7/Ⅲ), V7/VI, VIm7 ‖		(V7/VI), (V7/Ⅲ)
	9		17	V7/VI, subV7/VI
			A-18	VIm7, 릴레이티드 Ⅱm7
리듬	발라드, 4/4 ♩의 「3」 잇단음 사용		발라드, 섞음박자: 4/4, 3/4, 4/4, 2/4, 3/4, 6/4, 3/4, 3/8, 2/4, 4/4, 5/8, 4/4, 3/4, 4/4, 5/4, 4/4, 6/4, 5/4, 4/4, 5/4, 4/4, 6/4, 4/4, 3/4, 4/4, 5/4, 4/4, 3/4, 4/4 의 변화 * ♩의 「3」, 「7」, 「9」, 「10」, 「11」, 「12」 ‖ ♪의 「3」, 「5」, 「6」 ‖ ♪의 「3」, ♩의 「3」의 잇단음을 포함하여 다양한 리듬 사용	
스케일	도리안, 로크리안, 믹소리디안, 얼터드, 리디안 ♭7, 이오니안		도리안, 로크리안, 믹소리디안, 얼터드, 리디안 ♭7, 이오니안, 디미니쉬드 세븐 스케일 사용, 선율에서 2옥타브 아래의 유니즌으로 스케일 사용	
코드 변주	다이어토닉·논다이어토닉 코드톤과 텐션		다이어토닉·논다이어토닉 코드톤과 텐션을 사용하여 유기적으로 선율과 리듬 변화, 코드톤에서 3음을 뺀 코드, 가이드 톤, 포스 보이싱, 클러스터 보이싱,	

		가이드 톤, 디미니쉬드 세븐 용법에 없는 디미니쉬드 세븐 코드 $^{\#}VIdim7-VIIm7$의 창의적인 진행
페달링	연주자 느낌대로	연주자 느낌대로, 핑거링 페달, 지속음 페달, 지속음에 부분적인 페달 사용
표현	갖춘마디	*인트로, 크레센도와 데크레센도의 셈여림, a tempo, 늘임표, 이음줄, 악센트, 싱코페이션 *8va, 15ma, 8^{vb}를 사용하여 넓은 음역 사용. *트릴($^{tr}-$ 한 박자 반 동안), 모르덴트(˜) *준 카덴차(quasi cadenza)곡의 B부분 넷째 박부터 연주, 슬로우 스윙(slow swing → 두 번째 오는 B부분 더블 타임 느낌(double-time feel) 여섯 번째 마디부터 연주되고 88마디부터 빠르게, 루바토와 함께(faster, with rubato)의 연주, 다양한 스케일과 아르페지오, 아웃트로 연주

44) Monk, 'Round Midnight, The Real Book – Standard Jazz Ⅰ, 364.
45) Thelonious Music Corp, Oscar Peterson, Hal·Leonard, Transcription, 184-197.

4) 〈저스트 인 타임〉(Just in Time)

(1) 구조 분석

〈표 31〉 〈Just in Time〉 구조 1-52마디

〈Just in Time〉 46)/ Bᵇ장조 / 4/4박자		
형식	마디 구성	마디 수
A	1-8	8
B	9-16	-
C	17-24	-
D	25-32	-
C	33-40	-
D´	41-48	-
아웃트로	49-52	4

(2) 화성 분석

〈악보 40〉 〈Just in Time〉 1-6마디

---

46) Stratford Music Corp., *Oscar Peterson piano Solo,* ©1956 (Milwaukee: Hal·Leonard Corporation. n.d.), 46-49.

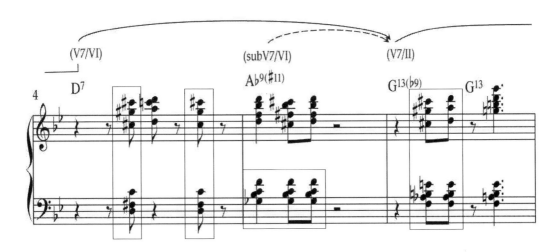

3-6마디를 보면 릴레이티드 Ⅱm7-(Ⅴ7/Ⅵ)-(subⅤ7/Ⅵ)-(Ⅴ7/Ⅱ)의 진행을 하였는데 4-6마디 D7, A♭9(#11), G13(♭9)의 진행에서 D7과 A♭9(#11)이 Gm7인 Ⅵm7으로 진행하지 않고 세컨더리 도미넌트 세븐인 G13(♭9)인 (Ⅴ7/Ⅱ)으로 진행하였다. 6마디의 (Ⅴ7/Ⅱ)도 Ⅱm7(Cm7)이 아닌 7마디 C9인 Ⅴ7/Ⅴ으로 진행하였다. 이 3개의 도미넌트 세븐의 진행은 모두 위장 해결함으로 긴장감과 조성의 모호함을 주었다. 3·4·6마디에서는 블록 코드가 사용되었고 5마디에서는 루트리스 4노트 보이싱이 사용되었다.

〈악보 41〉 〈Just in Time〉 28-30, 34-36, 43-52마디

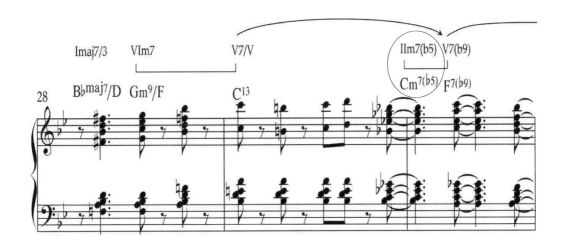

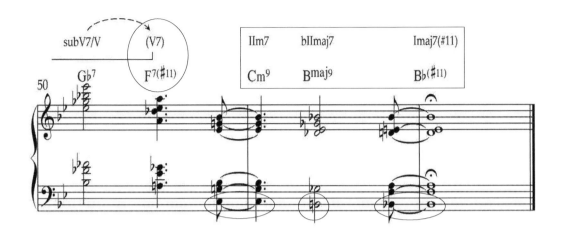

　28-30마디 Ⅴ7/Ⅴ, Ⅱm7(♭5), Ⅴ7(♭9) 진행에서 Ⅴ7/Ⅴ와 Ⅴ7(♭9)의 사이에 인터폴레이티드 Ⅱm7(♭5)를 사용하여 꾸몄다. 34-35마디 Ⅵm(maj7), Ⅵm7의 진행과 유사한 46-47마디와 48-49마디 Ⅳm(maj7), Ⅱm7의 화성 진행에서 볼 수 있는 것은 멜로딕 마이너 메이저와 마이너 코드의 유사한 진행으로 당시 피터슨 연주의 특징으로 볼 수 있다. 34-35마디 왼손에서 루트리스 4노트, 48 마디 왼손 넷째 박 끝부분 포스 보이싱이 사용되었으며 49마디 셋째 박에서 선율과 리듬을 동시에 연주한 블록 코드가 사용되었다. 44마디는 양손 유니즌으로 연주하고 45·47마디는 부분적 양손 유니즌으로 연주하였다. 46-48마디에서 목적하는 음을 꾸미기 위해 겹앞꾸밈음이 네 번, 홑앞꾸밈을이 한번 사용되었고 8마디 첫 박에서도 홑앞꾸밈이 한번 사용되어 꼭 필요한 부분에 부분적으로 조화롭게 꾸민 것을 볼 수 있다. 46·48마디는 4웨이 클로즈의 드롭 2 방식으로 볼 수 있는데 오른손 4개의 음으로 된 코드에서 두 번째 음을 베이스로 한 옥타브 드롭하지 않고 중복하여 5노트의 무게감 있는 왼손의 단선율을 만들어 선율과 리듬을 동시에 연주하였다. 50-51마디 코드톤에서 3음이 없는 화음을 사용하여 싱코페이션으로 강약의 위치를 바꾸어 반박자 앞에서 첫 박 컴핑을 하였다.

　아웃트로 49-50마디에서 Ⅱm7, subⅤ7/Ⅴ, (Ⅴ7)으로 반마침하고 51-52마디에서 Ⅱm7, ♭Ⅱmaj7, Ⅰmaj7(♯11)으로 마쳤는데 왼손에서 코드의 근음이 C, B, B♭으로 반음씩 하행한 것 또한 피터슨의 엔딩 스타일로 볼 수 있다.

(3) 화성 진행과 리하모니제이션

〈표 32〉 〈Just in Time〉 화성 진행과 리하모니제이션

〈Just in Time〉 피터슨의 연주곡에 나타난 화성 진행과 리하모니제이션	
1-52마디, B♭장조, 4/4박자, 형식: A(8), B(8), C(8), D(8), E(8), F(8), 아웃트로(4)	
화성	* 1-4마디: I maj7-Ⅶm7-(Ⅴ7/Ⅵ)의 진행에서 Ⅶm7은 Ⅶm7(♭5)의 변형으로 봐서 분석하였고 리디안에서 만들어진 도리안 코드를 사용하였다.
	* 28-30마디: Ⅴ7/Ⅴ-Ⅱm7(♭5)-Ⅴ7(♭9)의 진행에서 Ⅴ7/Ⅴ와 Ⅴ7(♭9)의 사이에 인터폴레이티드 Ⅱm7(♭5)를 사용하여 꾸몄다.
	* 34-35마디 Ⅵm(maj7)-Ⅵm7과 비슷한 진행 46-47, 48-49마디 Ⅵm(maj7)-Ⅱm7에서 진행되었다. 이 곡에서 8·46-48마디에서 홑꾸밈음 2번과 겹꾸밈음 4번 사용되었다.
	* 아웃트로 49-52마디에서 Ⅱm7-subⅤ7/Ⅴ-(Ⅴ7)으로 반마침하고 51-52마디 Ⅱm7-♭Ⅱmaj7-I maj7(#11)으로 근음이 C-B-B♭로 반음씩 하행하는 베이스라인으로 곡을 마쳤다.
	* 다이어토닉 코드 외에 논다이어토닉 코드(세컨더리 도미넌트, 서브스티튜트 도미넌트, 모달 인터체인지, 멜로딕 마이너 코드)를 사용하여 모호한 조성감을 가질 수 있지만 전조 하지 않았다. * 1, 2, 3(= /3, /5, /♭7)전위 코드가 자주 사용되었다. * 쉬운 스윙으로 간결한 리듬이 사용되었고 주로 정박, 첫 박과 셋째 박에서 컴핑을 하였다.
보이싱	* 5, 34, 35마디 등에서 루트리스 4노트 보이싱 사용 * 48마디 포스 보이싱 사용 * 50, 51마디에서 코드톤에서 3음이 없는 화음 사용
선율 & 리듬	* 3, 4, 6, 14, 15, 21, 42. 43, 49마디에서 선율과 리듬이 동시 진행되는 블록 코드를 사용하였다. * 스윙으로 간결한 리듬이 사용되었고 주로 정박, 첫 박과 셋째 박에서 컴핑을 하였다. (*드럼 인트로 3마디, 더블 베이스 반주의 솔로이다.) * ♪의 「3」 잇단음이 5번 사용하여 리듬의 변화를 주었다. * 46-48마디에서 겹앞꾸밈음이 3번, 홑앞꾸밈음이 8마디와 46마디에서 두 번 사용하여 꾸몄다.

(4) 원곡과 비교분석

　원곡 〈Just in Time〉은 Betty Comden과 Adolph Green이 가사를 쓰고
Jule Styne이 작곡하였다. 〈악보 42〉의 원곡 분석을 보겠다.

〈악보 42〉〈Just in Time〉원곡 4

아래 〈표 33〉은 위에서 분석한 〈'Round Midnight〉의 헤드 1을 도식화한
표이다.

<표 33> <Just in Time> 원곡과 비교분석

<Just in Time> 헤드 1(Head 1)의 원곡과 연주곡 비교분석				
형식	원곡[47] <B♭장조>		피터슨 연주곡[48] <B♭장조>	
	마디	분석 기호	마디	분석 기호
A	1-4	I maj7	1-4	I maj7
		VIImaj7, I maj7		
		(V7/VI)		VIIm7
		(subV7/II), (V7/VI)		V7/VI
	5-8	(V7/II)	5-8	(subV7/VI)
		(subV7/V), V7/II		V7/II, (V7/II)
		V7/V		V7/V
B	9-12	V7	9-12	V7sus4
				V7
		(V7/IV)		I maj7
		(V7/III), V7/IV		
	13-16	IVmaj7	13-16	IV6
		IIImaj7, IVmaj7		
		VIIm7(♭5)		subV7/VI
		V7/VI		VIIm7, (V7/VI)
C	17-20	VIm	17-20	VIm6
		V7/VI		VIm(maj7)
		VIm7, #Vdim7, VIm7		VIm7
		V7/V, #IIdim7		(V7/V)
	21-24	I 6	21-24	I 6(9)/3
				I maj7
		subV7/VI		(subV7/VI)
		VIm7, (subV7/II)		(V7/II)
D	25-28	V7/V	25-28	V7/V

		(V7), subV7/V, V7		V7(♯5,♯9), V7	
		I 6		I maj7	
		VIm7, ♯V dim7, VIm7		I maj7/3, VIm7	
	29-32	V7/V	29-32	V7/V	
		IIm7, V7		IIm7(♭5), V7(♭9)	
		I 6		I maj7	
				(subV7/Ⅲ/5), V7/VI	

리듬	Easy Swing → 특징적인 리듬 ♩. ♪♪♪♩ | ♩ ♩♪ - | ♪ ♪♪♪♪ | ♪ ♪♪ ♩. | ♩. ♪♪♪♪ | ♩. ♪♪♪ | ♪ ♪♪♪♪ | ♩. ～♪♪ | ♪♪♪♪. | ♩. ♩ ♪♪♪ | ♩. ♩ ♪♪ - | ♩ ♪♪ - |	Easy Swing ♩ = 118 ♩의 「3」 잇단음 5번 사용, 드럼 인트로 3마디, 더블 베이스 반주의 솔로로 주로 정박, 첫 박, 셋째 박 에서 간결한 컴핑
스케일	도리안, 믹소리디안, 리디안 ♭7, 멜로딕 마이너, 로크리안, 디미니쉬드 세븐	도리안, 믹소리디안, 리디안, 리디안 ♭7, 멜로딕 마이너, 로크리안, 디미니쉬드 세븐, 홀 톤
코드 변주	3마디 V7/VI, 5마디 V7/Ⅱ, 11마디 V7/Ⅳ, 15마디 VIIm7(♭5) 18마디 V7/VI, 24마디 VIm7, (subV7/Ⅲ), 19마디 디미니쉬드 세븐 보조적 코드 VIm7, ♯V dim7, VIm7	3마디 VIIm7, 5마디 (subV7/VI), 11마디 I maj7, 15마디 subV7/VI 18마디 VIm(maj7), 24마디 V7/Ⅱ가 다른 코드로 진행, 보조적 코드를 사용했고 리하모니제션된 부분은 여러 곳에서 볼 수 있다. *19마디는 디미니쉬드 세븐 보조적 코드 생략
페달링	연주자 임의대로	연주자 임의대로
표현	갖춘마디, 싱코페이션	못갖춘마디, 셈여림, 싱코페이션, 늘임표, 꾸밈음(홑앞꾸밈음, 겹앞꾸밈음), 포르타토와 마르카토 느낌을 넣은 간결한 연주

---

47) Irving Berlin, The Real Book에 나오는 Standard Jazz Ⅱ, 192.
48) Stratford Music Corp,, *Oscar Peterson piano Solo*, (Hal·Leonard Corporation), Transcriptions, 46-49.

5) 〈아이가 태어났다〉(A Child Is Born)

(1) 구조 분석

〈표 34〉 〈A Child Is Born〉 구조 1-75마디

〈A Child Is Born〉[49]/ B♭장조 / 섞음 박자			
형식	마디 구성	마디 수	특징
인트로	1-8	8	* 원곡과 조성이 같고 박자표는 원곡과 다른 3/4, 4/4, 3/4, 3/8, 9/8, 3/4, 2/4, 3/4, 4/4의 박자표를 자유롭게 배치하였다.
A	9-24	16	
A´	25-38	14	
A	39-54	16	
A´	55-68	14	
아웃트로	69-75	7	

(2) 화성 분석

〈악보 43〉 〈A Child Is Born〉 9-10, 14-17마디

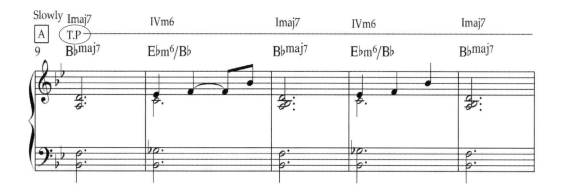

49) D'Accord Music, Inc., *Oscar Peterson piano Solo*, ⓒ1969 (Milwaukee: Hal·Leonard Corporation. n.d.), 6-9.

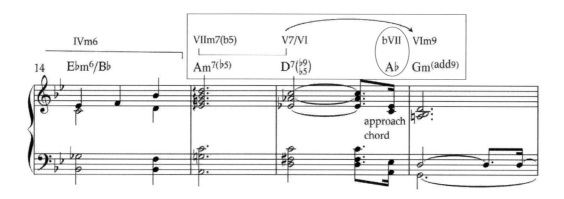

9-10마디의 Ⅰmaj7-Ⅳm6/B♭의 코드 진행이 14마디까지 B♭ 토닉 페달 포인트를 사용하였고 같은 화성 진행이 세 번 반복되었다. 이와 같은 진행이 9-14, 25-30, 39-44, 55-60마디에서도 진행한 것 또한 피터슨의 특징적인 연주기법 중 하나로 볼 수 있다.

15-17마디 Ⅶm7(♭5), Ⅴ7/Ⅵ, (♭Ⅶ), Ⅵm9의 진행에서 Ⅶm7(♭5)의 화성 진행은 릴레이티드 Ⅱm7(♭5)의 이중 기능을 갖는다. 이 코드는 뒤에 오는 도미넌트 세븐 코드의 완전5도 위에 위치하여 뒤의 도미넌트 세븐 코드를 꾸며주게 된다. Ⅵm9의 앞에 놓인 ♭Ⅶ는 어프로치 코드로써 반음 하행하여 Ⅵm9을 꾸몄다. 이 진행에서 ♭Ⅶ를 뺀 Ⅶm7(♭5), Ⅴ7/Ⅵ, Ⅵm9와 같은 진행을 18-19, 20-21, 31-33, 45-47, 48-49, 50-51, 61-63, 64-65마디에서도 자주 사용한 것을 볼 수 있다.

〈악보 44〉 〈A Child Is Born〉 36-46마디

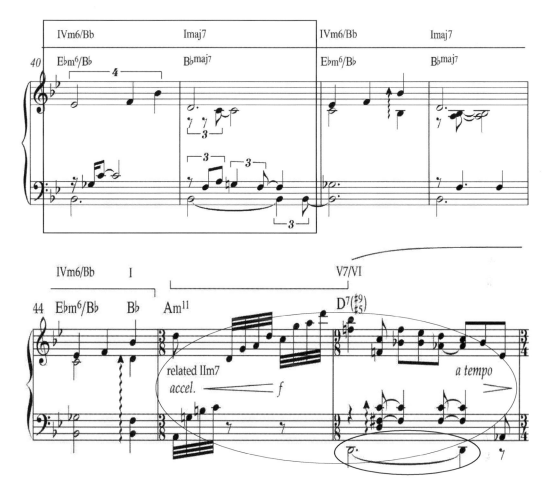

　38-39마디에서 F9(sus4)와 Bmaj9이 B♭maj7으로 진행하는데 중간에 Bmaj9는 어프로치 코드로 사용하였고 39-44마디까지 B♭의 토닉 페달(T.P)을 사용하였다. 이와 같은 토닉 페달(T.P)은 9-14, 25-30, 55-60마디에서도 사용되었다.

40-43마디의 진행에서 원하는 아름다운 음색을 내기 위하여 3/4박자의 한마디에서 왼손 세 박자의 지속음 위에 테너 라인의 선율이 진행되는 동시에 오른손 선율은 ♩.의 「4」 잇단음을 연주하였다. 오른손 ♩.의 「4」 잇단음 선율은 2분음표와 4분음표를 2개를 배치하여 더 간결한 선율과 리듬으로 연주하였다. 41마디에서는 선율이 지속하는 가운데 알토 라인에서 ♩의 「3」 잇단음을 한번 사용하고 싱코페이션으로 2분음표에 연결하여 더욱 아담한 선율을 만들었다. 이 선율은 왼손의 지속음 위 테너 라인에서 4분음표의 「3」 잇단

음을 두 번 배치하고 싱코페이션을 4분음표로 연결한 것이다. 이 진행은 양
손에서 잇단음 사용으로 선율과 베이스음이 지속하는 가운데 내성에서 움직
이는 선율 배치에서 간결한 곡을 아름답게 연주하는 그의 방식을 알게 해주
는 부분이다.

　45마디 Am11은 뒤에 오는 세컨더리 도미넌트의 완전5도 위에 위치하는
코드이므로 릴레이티드 IIm7이다.[50] 리디안의 일곱 번째 코드의 스케일 VII
m7의 도리안 스케일의 5음을 생략한 아르페지오로 3옥타브 이상의 음역을
펼쳐서 점점 빠르게 포르테로 연주한 후에 46마디 원래의 빠르기로 돌아가
점점 여리게 발라드곡의 느낌을 살려 연주하였다. 또한 46마디 베이스 음이
D(^{8vb}) 로 한 옥타브 더 낮게 연주하여 음역대를 넓게 사용하였다.

〈악보 45〉 〈A Child Is Born〉 47-50, 60-63마디

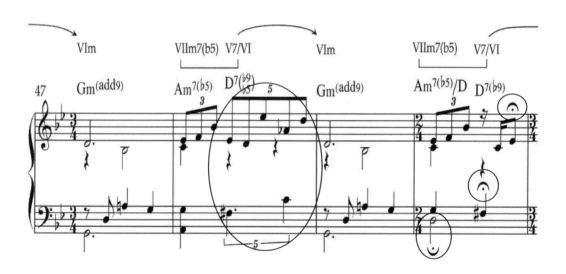

---

50) 세컨더리 도미넌트에 대한 릴레이티드 IIm7이므로 분석하지 않고 릴레이티드
　IIm7의 자리에 오지 않을 때는 분석하였다. 이러한 분석은 분석한 전 곡들에 동
　일하게 나타나는 부분이다.

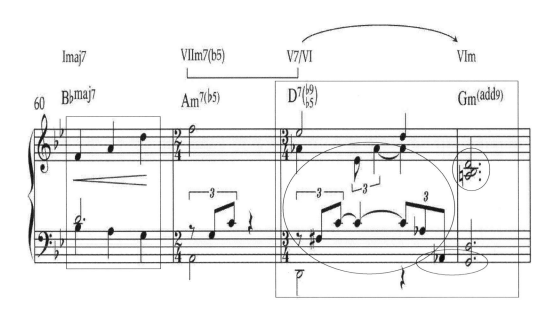

    48, 50, 61-62마디 연주곡의 제목과 잘 맞는 선율에 ♪의 「3」, ♩의 「5」, 6
마디 ♪의 「6」를 사용하였고 40마디에서 ♩.의 「4」의 잇단음 사용에서도 곡
에 맞게 선율과 리듬에 변화를 주어 꾸몄다. 고정된 박자표를 사용하지 않고
섞음박자로 마디의 박자를 자유롭게 배치하여 늘리거나 줄여 연주한 것 또한
피터슨의 특징적인 연주기법으로 볼 수 있다. 60마디에서는 양손의 선율을
반진행 하여 음 폭을 넓혀 점점 세게 연주하는 가운데 왼손의 내성에서 지속
음을 사용하였다. 61마디 릴레이티드 Ⅱm7의 이중 기능을 하는 Ⅶm7(♭5)는
세컨더리 도미넌트 세븐의 완전5도 위에서 꾸몄다. 62마디는 외성에서 지속
음을 사용하고 내성에서 잇단음과 싱코페이션을 사용하여 양손을 교대로 연
주하였다. 왼손의 마지막 A♭음이 63마디 베이스음인 G음으로 반음 하행하여
연결되었고 오른손 클러스터 보이싱과 함께 조금 여리게 연주되었다.

<악보 46> <A Child Is Born> 68-75마디

68-69마디 V7sus4-♭Ⅱ(♯4), 70-75마디 (Ⅴ)-subⅤ7/Ⅴ-Ⅴ7(♭9,♯9)-subⅤ7-
Ⅰm(maj7) 진행에서 피터슨의 독특한 연주기법이 나타났다. 70마디 프라이머
리 도미넌트 (Ⅴ) 연주 후 subⅤ7/Ⅴ을 사용하여 다시 Ⅴ7(♭9,♯9)으로 연결하
고 Ⅰm(maj7)으로 해결하기 바로 앞에서 subⅤ7이 Ⅰm(maj7)를 꾸몄다. 이
러한 점을 보면 피터슨은 간결한 화성 진행에서 서브스티튜트 도미넌트 세븐
(subⅤ7) 코드를 자주 사용한다는 것을 알 수 있다. 그는 마지막 부분 늘임
표(페르마타)를 사용하여 부드럽고 길게 화성의 울림을 지속하였다. 코드의

아르페지오를 사용하여 4옥타브 이상의 넓은 음역대로 연주하였고 제목에 어울리는 간결한 아름다운 선율로 연주하였다.

(3) 화성 진행과 리하모니제이션

〈표 35〉 〈A Child Is Born〉 화성 진행과 리하모니제이션

〈A Child Is Born〉 피터슨의 연주곡에 나타난 화성 진행과 리하모니제이션	
1-75마디, B^{b}장조, 섞음 박자, 형식: A(8), B(8), C(8), D(8), E(8), F(8), 아웃트로(4)	
화 성	* 9-10마디의 Ⅰmaj7-Ⅳm6/B^{b}의 코드 진행이 14마디까지 B^b 토닉 페달 포인트를 사용하여 같은 화성 진행이 3번 반복되었다. 25-26, 27-28, 39-40, 41-42, 43-43, 55-56, 57-58마디에서도 진행한 것이 특징적인 진행이다.
	* 15-17마디: Ⅶm7(^{b}5)-Ⅴ7/Ⅵ-(^{b}Ⅶ)-Ⅵm(9)의 진행에서 Ⅶm7(^{b}5)의 화성 진행은 다이어토닉의 일곱 번째 코드로 로크리안의 스케일을 갖지만 릴레이티드 Ⅱm7(^{b}5), Ⅱm7의 이중 기능을 갖는다. 이 코드는 뒤에 오는 도미넌트 세븐 코드의 완전5도 위에 위치하여 뒤의 도미넌트 세븐 코드를 꾸며주게 된다. 이와 같은 진행은 이곡에서 18-19, 20-21, 31-33, 45-47, 48-49, 50-51, 61-63, 64-65마디에서도 여러번 사용된 것을 볼 수 있다.
	* 68-75마디 Ⅴ7sus4-^{b}Ⅱ(add$^#$4), 70-75마디 (Ⅴ)-subⅤ7/Ⅴ-Ⅴ7(^{b}9,$^#$9)-subⅤ7-Ⅰm(maj7)의 진행에서 피터슨의 독특한 연주기법이 나타난다. 70마디 프라이머리 도미넌트 Ⅴ를 연주 후 subⅤ7/Ⅴ을 사용하여 다시 Ⅴ7(^{b}9,$^#$9)으로 연결하고 Ⅰm(maj7)으로 해결하기 바로 앞에서 subⅤ7($^#$9)이 Ⅰm(maj7)를 꾸몄다. 단순한 화성 진행에서 서브스티튜트 도미넌트 세븐(subⅤ7) 코드를 자주 사용한다는 것을 알 수 있다.
	* 다이어토닉 코드 외에 논다이어토닉 코드는 세컨더리 도미넌트, 얼터드 도미넌트, 멜로딕 마이너, 모달 인터체인지 코드를 사용하여 조성의 모호함으로 곡을 꾸며 연주하였다. * 토닉 페달(T.P)을 주로 사용하였다.

보 이 싱	* 왼손 화음은 근음 5음, 근음 ♭7음, 10도 음정에 중간에 5음 추가, 오른손에서 클러스터 보이싱을 부분적으로 사용하였다.
선 율 & 리 듬	* 반복적인 진행을 많이 사용하고 어려운 화성 진행보다 대중들과 함께 호흡할 수 있는 간결하고 절제된 발라드 선율로 연주하였다. * 늘임표를 사용하여 곡을 늘리거나 길게 끌어주고 옥타브를 올려서 연주하므로 넓은 음역대를 사용하였다. * 안정적이고 명확환 리듬 터치와 제목과 어울리는 발라드 선율 느낌에서 그의 개성이 나타난다. * 연주자의 개성에 따라 아이디어를 연주에 적용한다는 것을 알 수 있다 * ♩의 「3」 13번, ♩의 「5」 2번, ♪의 「6」 1번, ♩.의 「4」 1번의 잇단음 사용하여 다양한 선율과 리듬의 변화를 만들었다. * 섞음박자: 3/4, 4/4, 3/4, 4/4, 3/4, 3/8, 9/8, 3/4, 2/4, 3/4, 2/4, 3/4, 4/4로 선율과 리듬에 변화를 주었다.

(4) 원곡과 비교분석

원곡 〈A Child Is Born〉은 Trad Jones의 곡이다. 〈악보 47〉의 원곡 분석을 보겠다.

〈악보 47〉 〈A Child Is Born〉 원곡 5

아래 〈표 36〉은 위에서 분석한 〈A Child Is Born〉의 헤드 1을 도식화한 표이다.

<표 36> ⟨A Child Is Born⟩ 원곡과 비교분석

형식	원곡51) ⟨C장조⟩		피터슨 연주곡52) ⟨Aᵇ장조⟩	
	마디	분석 기호	마디	분석 기호
인트로			1-4	Ⅱm7(ᵇ5)
				V7(#5,ᵇ9)
				Ⅰm7, (subⅤ7/Ⅲ)
				(Ⅴ7/Ⅴ)
			5-8	Ⅳm7, Ⅴm7, ᵇⅥmaj7
				Ⅳm7, Ⅱm7
				ᵇⅦmaj7, Ⅴ7/Ⅴ
				Ⅴ7(ᵇ9)
A	1-4	Ⅰmaj7	9-12	Ⅰmaj7
		Ⅳm/Bᵇ		Ⅳm6/Bᵇ
		Ⅰmaj7		Ⅰmaj7
		Ⅳm6/Bᵇ		Ⅳm6/Bᵇ
	5-8	Ⅰmaj7	13-16	Ⅰmaj7
		Ⅳm/Bᵇ		Ⅳm6/Bᵇ
		Ⅶm7(ᵇ5)		Ⅶm7(ᵇ5)
		Ⅴ7/Ⅵ		Ⅴ7/Ⅵ
	9-12	Ⅵm7	17-20	Ⅵm(add9)
		Ⅴ7/Ⅵ		Ⅶm7(ᵇ5), Ⅴ7/Ⅵ
		Ⅵm7		Ⅵm
		Ⅴ7/Ⅵ		Ⅶm7(ᵇ5), Ⅴ7/Ⅵ
	13-16	Ⅵm7	21-24	Ⅵm
		Ⅴ7/Ⅴ		Ⅴ/Ⅴ, Ⅴ7/Ⅴ
		Ⅴ7sus4		Ⅴ7sus4
		Ⅴ7		Ⅴ7(ᵇ9)
B	17-20	Ⅰmaj7	25-28	Ⅰmaj7
		Ⅳm/Bᵇ		Ⅳm6/Bᵇ
		Ⅰmaj7		Ⅰ
		Ⅳm/Bᵇ		Ⅳm6/Bᵇ
	21-24	Ⅰmaj7	29-32	Ⅰmaj7
		(Ⅴ7/Ⅵ)		∕.
		Ⅳmaj7		Ⅶm7/ᵇ5,
		(subⅤ7/Ⅵ), Ⅱm7(ᵇ5)		Ⅴ7/Ⅵ
	25-28	Ⅰ/5	33-36	Ⅵm
		(subⅤ7/Ⅴ)		Ⅴ7/Ⅵ
		Ⅵm7		Ⅵm
		Ⅴ7/Ⅴ		Ⅱm7, ᵇⅦ7

표 상단: ⟨A Child Is Born⟩ 1절(1st Chorus) 헤드(Head) 1 분석

	29-32 ·33	V 7sus4 V 7 I maj7 IV7(E^{b}7) \| Imaj7(B^{b}maj7)	37-40	II m7, V7sus4, ^{b}II maj7 Imaj7 IVm6/B^b

리듬	발라드(Ballad), 3/4박자 연주자 임의대로	자유롭게, 루바토와 함께(Freely, with rubato) * 섞음박자: 3/4, 4/4, 3/4, 4/4, 3/4, 3/8, 9/8, 3/4, 2/4, 3/4, 2/4, 3/4, 4/4 로 선율과 리듬 변화 * ♩의 「3」, ♩의 「5」, ♪의 「6」, ♩.의 「4」의 잇단음을 사용하여 다양한 리듬
스케일	* 다이어토닉, 논다이어토닉, 모달 인터체인지 코드 (도리안, 믹소리디안, 얼터드, 로크리안, 리디안 ^{b}7, 홀 톤)	* 다이어토닉, 논다이어토닉, 모달 인터체인지 코드 (도리안, 믹소리디안, 얼터드, 로크리안, 리디안, 리디안 ^{b}7, 홀 톤, 멜로딕 마이너)
코드 변주	원곡의 마디 ① 2마디 IVm/B^b → E^{b}m/B^b ② 10마디 V7/VI → D7($^\#$5) ③ 22마디 (V7/VI) → D7alt ④ 23마디 IVmaj7 → E^{b}maj7 ⑤ 24마디 (subV7/VI), II m7(^{b}5) → A^{b}7, Cm7(^{b}5) ⑥ 25마디 I/5 → B^b/F ⑦ 26마디 (subV7/V) → G^{b}6 ⑧ 27마디 VIm7 → Gm7	원곡과 ①-⑧ 같은 위치 ① 10마디 IVm6/B^b → E^{b}m6/B^b ② 18마디 VIIm7(^{b}5), V7/VI → Am7(^{b}5), D7(^{b}9) ③ 29마디 Imaj7 → B^{b}maj7 ④ 31마디 VIIm7/^{b}5 → Am7(^{b}5) ⑤ 32마디 V7/VI → D7(^{b}5,^{b}9) ⑥ 33마디 VIm7 → Gm9 ⑦ 34마디 V7/VI → D7(^{b}9sus4) ⑧ 35마디 VIm → Gm
페달링	부분적으로 토닉 페달(T.P) 사용, 이 외에 연주자 임의대로	부분적인 토닉 페달(T.P) 사용, 이 외 연주자 임의 대로
표현	갖춘마디, 싱코페이션, 늘임표, 코드(Coda)	못갖춘마디, 인트로, 늘임표, 아르페지오, accel, rit, rall, molto rall, a tempo, 셈여림 기호(p, mp, mf, f), 크레센도, 데크레센도, 느리게(Slowly), 흐르는(Flowing), 모션으로 더 빠르게(Faster, with motion)

6) 1-5곡의 보이싱

다섯 곡의 분석에 나타난 보이싱의 특징들은 ① 10도 음정에 한음 추가한 화음, 코드톤으로 만든 화음, 코드톤에서 3음을 뺀 화음 사용, ② 2노트, 루트리스 2·4노트, ③ 포스 보이싱, ④ 왼손 화음 1·5·7음과 같은 음형의 화음, ⑤ 클러스터 보이싱, ⑥ 4웨이 클로즈의 드롭 2, ⑦ 락드 핸즈 사용 등이다. 아래 〈표 37〉는 분석한 1-5곡의 보이싱을 도식화한 표이다.

〈표 37〉 1-5곡의 보이싱

오스카 피터슨 연주 1-5곡 분석에 나타난 하드 밥 재즈 보이싱	
명칭	보이싱 기법
① 10도 음정에 한음 추가한 화음, 코드톤으로 만든 화음, 코드톤에서 3음을 뺀 화음 사용	* 〈All of Me〉 왼손에서는 해당 코드의 10도 음정에 중간에 6음, ♭7음, 5음 또는 6·7·5도 음정 간격으로 한 개 음을 추가한 화음을 여러 번 사용하였는데 이러한 화성 사용과 전위한 코드 진행을 자주 사용하였다. 1-3·5·31·33마디 참고. * 〈You Make Me Feel So Young〉 블록 코드, 10도 음정에 한음 추가, 1·5·7음으로 된 화음 사용, 1·7음, 1·6음, 루트리스 4노트 보이싱을 사용하였다. * 〈'Round Midnight〉 왼손 화성은 근음과 5음, 근음과 ♭7·10도 음정과 10도 음정 중간에 ♭7음이 추가되고 코드톤에서 3음이 없는 화음을 사용하였다. * 〈Just in Time〉 코드톤에서 3음이 없는 화음을 사용하였다. * 〈A Child Is Born〉 왼손 화음은 1·5음, 1·♭7음, 10도 음정 중간에 5음 추가한 화음을 사용하였다.
② 2노트, 루트리스 2·4노트	* 〈All of Me〉 1·7음의 2노트와 3·7음의 가이드톤을 사용한 루트리스 2노트 보이싱을 사용하였다. * 〈You Make Me Feel So Young〉 6마디는 왼손에서 1·7음의

---

51) The Real Book에 나오는 Standard Jazz Ⅰ, 2.
52) D'Accord Music, Inc., ⓒ1969, *Oscar Peterson piano Solo*, (Hal·Leonard Corporation), Transcriptions, 6-9.

	2노트를 사용하였다. 9마디 셋째 박과 넷째 박, 21, 33, 73마디 등에서 루트리스 4노트 보이싱을 사용하였다. * 〈Just in Time〉 5, 34, 35마디 등에서 루트리스 4노트 보이싱을 사용하였다.
③ 포스 보이싱	* 〈All of Me〉 4마디-첫 박, 105마디-넷째 박에서 음정 간격이 4도 간격인 3개의 음으로 모호한 음색의 포스 보이싱을 만들어 사용하였다. 이와 같은 포스 보이싱은 29, 60, 68, 69, 75, 76, 85, 86, 93마디에서도 사용하였다. * 〈You Make Me Feel So Young〉 포스 보이싱 사용은 6마디는 오른손에서 사용하였고 17마디는 왼손에서 사용하였다. 이외에도 30·39·40마디 등에서 사용하였다. * 〈Just in Time〉 48마디 포스 보이싱이 사용되었다.
④ 왼손 화음 1·5·7음과 같은 음형의 화음	* 〈All of Me〉 4마디 두 번째 코드의 음정 배열에서 선율에 해당 코드의 근음을 사용하였다. 왼손에서 3·♭7·9음을 수직으로 쌓아 아래서 두 번째에 올 수 있는 5음이 오른손의 선율 내성에서 사용되었고 왼손의 화음이 비슷한 음형 형태는 103, 105마디에서 볼 수 있다.
⑤ 클러스터 보이싱	* 〈'Round Midnight〉 3, 6, 10, 11마디 등 오른손에서 클러스터 보이싱이 사용되었다. * 〈A Child Is Born〉 오른손에서 클러스터 보이싱을 11, 13마디 등에서 사용하였다.
⑥ 4웨이 클로즈의 드롭 2	* 〈Just in Time〉 46마디는 오른손 3개의 보이싱에서 드롭 2 하지 않고 중복하여 사용되었으며 48마디에서는 오른손 5개의 보이싱에서 드롭 2 하지 않고 중복하여 사용되었다. * 〈You Make Me Feel So Young〉 12마디 오른손 보이싱 5개에서 두 번째 음이 한 옥타브 아래에 드롭 2 되어 왼손에 단선율을 만들었다. 이 코드는 오른손의 보이싱 두 번째 음이 베이스에 위치하여 선율과 리듬이 동시에 진행되는 블록 코드 개념의 코드이다.
⑦ 락드 핸즈	* 〈You Make Me Feel So Young〉 6마디, 14마디의 두 번째 박에서 셋잇단음 중간에 짧게 사용되었다.

7) 1-5곡의 선율과 리듬 변형

위에서 분석한 피트슨 연주 1-5곡 분석에 나타난 선율과 리듬의 변형은 다음과 같다.

다섯 곡의 분석에 나타난 선율과 리듬의 변형 특징들은 ① 잇단음표 사용으로 선율과 리듬 변화, ② 반진행과 사진행 ③ 섞음박자 사용으로 선율과 리듬 변화, ④ 아티큘레이션과 싱코페이션, ⑤ 유니즌 선율 형태, ⑥ 블록 코드, ⑦ 트레몰로 주법, ⑧ 글리산도 주법, ⑨ 필인(fill in) 연주에서 블루스 스케일 활용, ⑩ 크로스 리듬, ⑪ 스텝 와이즈 모션, ⑫ 3옥타브 이상의 넓은 음역대 아르페지오 사용 등이다. 이러한 진행들을 사용하여 피터슨은 정확한 박자로 인상적인 스윙 감각과 빠르고 화려한 선율로 발라드를 연주하였다. 아래 〈표 38〉은 분석한 1-5곡의 선율과 리듬 변형을 도식화한 표이다.

〈표 38〉 1-5곡의 선율과 리듬 변형

오스카 피터슨 연주곡 1-5곡 분석에 나타난 선율과 리듬 변형	
명칭	선율과 리듬 변형 기법
① 잇단음표 사용으로 선율과 리듬 변화	* 〈All of Me〉 잇단음을 사용한 빈도수는 ① ♪의 「3」 36번 ② ♩의 「3」 24번 ③ ♩의 「5」 2번 ④ ♪의 「3」 2번 ⑤ ♩의 「6」 1번을 사용하여 선율과 리듬에 다양한 변화를 주었다. * 〈You Make Me Feel So Young〉 선율에서 ♩의 「3」 71번, ♪의 「3」 14번, ♩의 「6」 2번, ♪의 「6」 2번의 잇단음을 사용하여 선율과 리듬에 다양한 변화를 주었다. * 〈'Round Midnight〉 잇단음의 사용 빈도수는 ♩의 「3」 44번, ♪의 「3」 35번 ♪의 「3」 21번, ♪의 「5」 14번, ♪의 「6」 9번, ♩의 「10」 6번, ♪의 「6」 5번, ♩의 「10」 6번, ♩의 「7」 3번, ♪의 「7」 3번, ♩의 「3」 3번, ♪의 「5」 2번, ♪의 「3」 2번, ♩의 「11」 2번, ♩의 「9」 2번, ♩의 「12」 1번, ♪의 「9」 1번으로 나타났다. 자주 사용한 잇단음은 「3」, 「5」, 「6」, 「7」, 「10」으로 나타났다. * 〈Just in Time〉 ♩의 「3」 잇단음을 5번 사용하여 리

	듬의 변화를 주었다. * 〈A Child Is Born〉♩의 「³」 13번, ♩의 「⁵」 2번, ♪의 「⁶」 1번, ♩.의 「⁴」 1번의 잇단음을 사용하여 발라드 느낌으로 꾸몄다.
② 반진행과 사진행	* 〈You Make Me Feel So Young〉의 41마디 선율이 E♭, D, C로 왼손의 베이스라인이 C, D, E♭로 반진행 되고 42마디에는 선율이 G, A로 왼손은 베이스라인이 E, F로 반진행 하였다. 베이스라인은 C, D, E♭, E, F로 온음, 반음 간격으로 순차 진행한 것을 볼 수 있다. 이와 같은 진행은 26마디 넷째 박에서 27마디, 66마디 넷째 박부터 67마디, 81마디에서 볼 수 있다. * 85마디에서는 왼손의 보이싱은 같은 음으로 유지되고 선율은 상행하고 86마디는 왼손의 베이스라인이 상행하고 선율은 같은 음으로 유지되는 사진행으로 오른손과 왼손에서 선율라인을 만들어 연주하였다.
③ 섞음박자 사용으로 선율과 리듬 변화 (*섞음박자: 1-5곡 중 발라드곡에서만 사용)	* 〈'Round Midnight〉 섞음박자: 4/4, 3/4, 4/4, 2/4, 3/4, 6/4, 3/4, 3/8, 2/4, 4/4, 5/8, 4/4, 3/4, 4/4, 5/4, 4/4, 6/4, 5/4, 4/4, 5/4, 4/4, 6/4, 4/4, 3/4, 4/4, 5/4, 4/4, 3/4, 4/4의 변화로 선율과 리듬을 다양하게 연주하였다. * 〈A Child Is Born〉 섞음박자: 3/4, 4/4, 3/4, 4/4, 3/4, 3/8, 9/8, 3/4, 2/4, 3/4, 2/4, 3/4의 변화로 선율과 리듬을 다양하게 연주하였다.
④ 아티큘레이션과 싱코페이션	* 〈All of Me〉 홑앞꾸밈음, 늘임표를 사용하여 선율을 꾸몄으며 싱코페이션 사용으로 선율과 리듬의 강약 위치를 바꿔 연주하였다. * 〈You Make Me Feel So Young〉 홑앞꾸밈음, 더블 어프로치 노트, 스타카토, 테누토를 사용하여 선율과 리듬을 꾸몄다. 빈번한 싱코페이션 사용으로 선율과 리듬에서 강약의 위치를 바꿔 스윙 감각으로 연주하였다. * 〈'Round Midnight〉 못갖춘마디의 ♩에 늘임표(⌒)를 사용하여 안정감 있게 시작하였고 92마디에서도 ♪와 ♪의 늘임표(페르마타)를 사용하여 빠른 스케일 다음에 오는 보이싱에 안정감을 주었다. 8ᵛᵃ, 15ᵐᵃ은 8마디에서 사용하여 넓은 음역대 옥타브로 연주하였으며 15마디에서는 악센트와 싱코페이션을 사용하여 더욱 선명하게 연주하였다. 이 외에

	도 꼭 필요한 부분에 사용하여 연주곡의 변화를 주었다. * 〈Just in Time〉 46-48마디에서 겹앞꾸밈음이 3번, 홑 앞꾸밈음이 8마디와 46마디에서 두 번 사용하여 꾸몄다. * 〈A Child Is Born〉아르페지오로 싱코페이션, 늘임표를 부분적으로 사용하여 선율과 리듬을 꾸몄다. 선율을 한 옥타브 올리거나 왼손의 베이스음을 한 옥타브 내려서 연주하여 음역대를 넓혀 변화를 주었다.
⑤ 유니즌 선율 형태	* 〈All of Me〉 80·82·90·107마디에서 오른손의 옥타브로 만든 선율과 한 옥타브 아래에서 같은 유니즌(Unison)으로 강조하는 연주를 하였다. * 〈You Make Me Feel So Young〉 양손에서 사용한 유니즌은 20, 60마디 셋째 박과 넷째 박에서 사용하였다. * 〈'Round Midnight〉 본문에 제시된 악보 89-90, 92마디의 제시된 유니즌 연주 외에도 20, 24, 31-32, 33-35, 39-40, 46, 67, 70, 85, 86, 89-92, 98. 99마디에서 양손 유니즌으로 연주하였다. 31-32, 39-40, 67, 70, 86, 89-92마디에서 2옥타브 아래의 유니즌으로 양손에서 코드 스케일 및 반음계 또는 여러 음표의 잇단음을 포함하여 아르페지오로 빠르게 연주하였다. 부분적으로 사용한 유니즌은 14, 20, 24, 35, 46, 85, 98, 99마디에서 사용되었는데 지속음 없이 양손 유니즌을 연주하기도 하고 지속음 아래, 위의 내성에서 양손 유니즌으로 연주하였다. * 〈Just in Time〉 44마디 유니즌으로 연주하였고 45, 47마디는 부분적으로 유니즌으로 연주하였다.
⑥ 블록 코드 *양손 블록 코드	* 〈You Make Me Feel So Young〉 21·22·23·24·33·73마디 등에서 자주 사용되었다. * 27·67·81마디에서 옥타브에 완전5도 추가된 블록 코드를 양손에서 동일한 패턴으로 연주하기도 하였다. * 〈Just in Time〉 3, 4, 6, 49마디 등에서 선율과 리듬을 동시에 사용하였다.
⑦ 트레몰로 주법	* 〈You Make Me Feel So Young〉 양손의 선율과 리듬연주에서 트레몰로를 사용하여 같은 화음을 제자리에서 빠르게 타건하는 주법을 21, 61, 88마디에서 사용하였다.
⑧ 글리산도 주법	* 〈You Make Me Feel So Young〉 오른손에서 글리산

	도의 주법을 사용하여 일정한 음 간격을 빠르게 긁어내리는 연주를 22, 24, 35, 37, 62, 64, 66, 75, 87, 90마디에서 사용하여 인상적이며 극적인 효과를 주었다. (*1-90마디의 곡인데 10번 사용)
⑨ 필인(fill in) 연주에서 블루스 스케일 활용	* 〈You Make Me Feel So Young〉 43-44마디 코드가 쉬는 2마디 한 박자의 공간에 필인 연주를 하였다. ♩의 「³ㄱ 잇단음 필인 연주에서 1, ♭3, 4, #4, 5, ♭7음의 B♭ 블루스 스케일이 사용되었다.
⑩ 크로스 리듬	* 〈You Make Me Feel So Young〉 9마디, 17마디 등에서 크로스 리듬을 사용하였다.
⑪ 스텝 와이즈 모션	* 〈You Make Me Feel So Young〉 66마디 넷째 박부터 69마디 첫 박까지 오른손 선율에서 E♭, D, C, B♭, A, G, F, E♭, D로 계단식으로 선율을 하행하였는데 온음, 온음, 반음, 온음, 온음, 온음, 반음으로 하행한 것을 볼 수 있다. 규칙적이지만 66-67마디는 수직으로 맞춰 같은 리듬으로 연주하고 68마디는 선율과 리듬이 약간의 엇갈린 진행을 하였다. (* 27-28마디에서도 이와 같이 진행되었다.)
⑫ 3옥타브 이상의 넓은 음역대 아르페지오 사용, * 5옥타브 음역대까지 연결	* 〈'Round Midnight〉 66, 88, 97, 100, 103등에서 반음계를 포함한 3옥타브 이상의 아르페지오로 화려하게 연주하였다. 88마디에서는 5옥타브 음역대까지 사용하였다. * 〈A Child Is Born〉 74-75마디 마지막 부분은 4옥타브 이상 아르페지오의 넓은 음역대를 사용하여 곡을 마쳤다. * 옥타브표를 사용하여 선율을 한 옥타브 올리거나 왼손의 베이스음을 한 옥타브 내려서 연주하여 음역대를 넓혀 변화를 주었다.

* 반복적인 진행을 자주 사용하였고 빠른 스케일과 아르페지오 사용과 왼손 리듬의 간결함, 선율에서 넓은 음역대를 사용하여 화려하게 연주하였다.
* 피터슨의 안정적이고 명확환 리듬 터치와 스윙 감각, 제목과 어울리는 발라드 선율에서 그의 개성이 나타났다. 그의 인상적이며 극적인 연주로 대중과 호흡할 수 있는 그의 아이디어를 테크니컬하고 리드믹하게 적용하였다

IV. 2인의 연주곡 특징

1. 파웰 연주곡 특징

파웰은 자신만의 음색으로 모호한 화음 사용을 시도하였고 선율의 아름다움을 논리적으로 표현하였다. 파웰은 자신의 재즈 음악에 그 시기에 없었던 새로운 코드, 선율과 리듬을 만들어 기존에 화성 반주 위주로 사용되었던 피아노를 화려한 솔로 연주로 탈바꿈하는 전환점을 만들어냈다. 특히 깊은 감성적인 표현을 할 때 선율과 리듬을 독창적으로 변형한 연주를 하였다.

본 연구에서 분석한 미디엄 업 스윙 〈Celia〉, 펑크 〈A Night in Tunisia〉, 발라드 〈It Could Happen to You〉, 〈April in Paris〉, 라틴(아프로큐반) 〈Un Poco Loco〉에 나타난 특징은 다음과 같다.

파웰의 연주는 색다른 선율과 리듬을 변주하는 창조적 특징을 지닌다. 파웰은 비밥에 그 기반을 두고 있지만 다른 작곡가의 인용구와 아프로큐반(라틴) 리듬을 자신의 음악에 융합하여 자신만의 차별된 연주기술과 스타일을 개발하였다. 그는 전체 팔의 터치를 사용한 강력한 접근법으로 화려한 연주 능력을 선보였다. 또한 선율과 리듬 사용은 음악 규칙에 벗어나지 않는 범위에서 수준 높게 음들을 배치하였다. 그의 연주는 복잡한 선율라인의 빠른 비밥 연주로 좀 더 실용적인 접근에 집중한 연주였다는 것이 분석을 통해 나타났다.

파웰의 선율과 리듬은 독특하고 조화로운 리듬감으로 섬세하고 우아한 음색이 특징이다. 그리고 빠르게 반복하는 리듬으로 곡에 긴장감을 주었다. 그는 연주 시 왼손에서는 비교적 간결하고 절제된 연주를 하였다. 그는 아티큘레이션을 사용하여 곡에 활력을 주었고 또 다른 느낌으로 전환하였다. 선율을 연주할 때는 반음계적인 빠른 스케일과 넓은 음역대의 아르페지오로 화려하고 섬세하게 연주하였다. 그는 전통 재즈 지식과 다른 작곡가 조지 거쉰의 곡 〈I Got Rhythm〉의 짧은 인용구를 자신의 음악에 녹여 넣어 자신의 스타일로 연주한 스윙 〈Celia〉곡에서도 당시 획기적인 화성, 선율과 리듬의 변화를 추구하였다.

파웰은 재즈 리듬에 라틴(아프로큐반) 리듬을 활용하여 뱀프, 펑크 리프 기법으로 감성과 감각적인 면을 시간적으로 연결하여 리듬감을 표현하였다. 파웰만의 리듬 응용은 두 마디 단위로 첫 번째 마디에 3번, 두 번째 마디에 2번의 악센트가 오는 포워드 클라베 리듬 3 & 2, 첫 번째 마디에 2번, 두 번째 마디에 3번의 악센트가 오는 리버스 클라베 리듬 2 & 3 패턴으로 나타났다. 그는 긴장감과 흥분감을 주는 라틴(아프로큐반) 리듬을 기반으로 〈Un Poco Loco〉를 작곡하였다. 또한 분산화음으로 같은 패턴을 반복하기도 하고 선율과 리듬을 동시에 싱코페이션을 사용하여 리듬을 변화하고 반복하는 연주를 하였다. 분석한 연주곡 중에 두 번째 곡 〈A Night in Tunisia〉도 이 리듬을 기반으로 하여 연주한 곡이다. 그는 아프로큐반 곡을 연주할 때 쉼표의 공간에서는 릭(lick)과 필인(fill in)을 사용하여 반복적으로 연주하였다. 또한 블록 코드를 사용하여 양손으로 같은 리듬을 만들어 강력한 음 터치로 연주하였다. 이와 같이 그는 특색 있는 리듬을 자신의 작곡과 연주곡에 적용하였다.

발라드는 반음계적인 코드 스케일과 아르페지오, 스윙과 스트레이트로 3옥타브 이상의 넓은 음역대를 사용하여 선율의 고저를 살려 빠르고 정교하게 연주하였다. 그의 연주는 섞음박자와 ⌜3⌝, ⌜5⌝, ⌜6⌝, ⌜7⌝, ⌜9⌝, ⌜10⌝, ⌜11⌝, ⌜12⌝ 잇단음과 싱코페이션을 사용하여 선율과 리듬을 변화시켰다. 파웰은 외성에서 지속음을 사용하고 알토와 테너 라인에서 유니즌을 사용하기도 하였다. 또한 음악 규칙을 지켜 연주하며 해당 코드의 근음을 왼손 화음에 대부분 사용함으로써 안정감 있는 연주를 하였다. 그의 선명하고 명확한 오른손 선율과 왼손의 간결한 리듬은 질서 있는 음의 배열과 터치, 강약 조절, 그리고 그만의 감성과 감각으로 청중을 아름답고 신선한 음들의 세계로 이끄는 기술이었다. 그것은 각고의 노력과 많은 시간을 들인 훈련과 심도 있는 연구 결과로 얻어진 파웰만의 특징적인 연주 스타일로 볼 수 있다.

파웰은 원곡과 같은 조성으로 연주하였고 논다이어토닉 코드를 사용하여 조성의 모호함을 주었다. 그는 코드톤과 약간의 텐션 음의 배열을 통하여 세련된 연주를 하였다.

보이싱은 왼손에서 1·3음, 1·5음, 1·6음, 1·7음, 1·7·3음, 1·3·5·7음의 코드톤으로 된 화음, 1·5·7음으로 된 화음, 1·4·6음, 1·5·6음으로 된 화음을 사용하였다. 그리고 10도 음정 사이에 한음을 추가한 화음, 코드톤과 텐션 4음, 6음을 사용한 화음을 사용하였다. 3·7음의 가이드톤으로 된 루트리스 2노트, 4개의 코드톤에서 3음을 뺀 세 개의 음으로 된 3노트, 음 세 개로 만든 포스(4도), 3·5·7음으로 만든 루트리스 3노트, 3도나 4도 간격의 음정에 단 2도 간격으로 한음을 추가하여 클러스터 보이싱을 만들어 사용하였다. 또한 대부분 전위 코드와 근음을 포함하였다. 3음을 뺀 화음, 포스, 루트리스 클러스터 보이싱을 사용하여 모호하고 긴장된 음들을 만들어 사용하였다. 컴핑 보이싱은 주로 첫 박과 셋째 박에서 사용하였다.

파웰은 블록 코드와 락드 핸즈를 사용하였는데 왼손에서 블록 코드를, 오른손에서 보이싱을 수직으로 동시에 연주하였다. 락드 핸즈 보이싱은 오른손 보이싱의 선율을 한 옥타브 아래 더블링 하여 연주하였는데, 왼손 근음의 지속음 위에 테너 라인에 더블링하여 사용하기도 하였고 베이스 음과 연결하여 연주하기도 하였다. 이러한 그의 창의적인 보이싱 기법은 당시의 음악발전에 크게 기여한 것으로 나타났다.

그의 발라드 〈April in Paris〉의 선율연주에서 일정부분 장3도와 중4도 음정으로 선율을 빠르게 구사하기도 하였다. 〈It Could Happen to You〉의 일정부분에서 오른손과 왼손의 외성에서 지속음을 유지하는 가운데 내성에서 셋잇단음이나 8분음표, 16분음표의 유니즌 선율을 단음으로 배치하여 옥타브 간격으로 선명하게 연주하였다. 또한 오른손에서 같은 음형이 반복되는 리피티드 노트 형태가 연주되었는데 왼손에서도 같은 리듬으로 나타났다. 이것은 〈Un Poco Loco〉의 연주곡에 나타난 같은 리듬 형태로 포워드 클라베 리듬에서 응용된 것으로 볼 수 있다. 파웰은 아프로큐반 리듬을 발라드 연주에도 코드의 구성음 수만 다르게 하여 왼손에서는 지속음 위 테너 라인에 약간 변형하여 적용하였다는 것을 알 수 있었다. 또한 〈Un Poco Loco〉에서 반진행과 반음씩 하행하는 베이스음을 만들어 자신만의 감성과 감각적인 리듬으로 연주하였다.

특히 선율에서 다양한 아치 형태들과 재배치한 음들을 연주할 때 스윙과 스트레이트로 그만의 음색과 건반 터치 감각으로 연주하였다. 파웰은 당시 획기적인 선율과 리듬으로 혁신적인 비밥 연주를 구현하였다.

2. 피터슨 연주곡 특징

피터슨의 연주는 타악기적인 강한 터치감과 감각적인 조화로 스윙과 발라드 선율을 표현하는 특징을 지닌다. 피터슨 솔로 연주는 빠른 스케일과 아르페지오를 즉흥적으로 연주할 때 간결함, 명확함, 무게감 있는 터치로 기교적이고 인상적이며 극적인 면을 나타냈다.

본 연구에서 분석한 미디엄 스윙 〈All of Me〉, 〈You Make Me Feel So Young〉, 〈Just in Time〉, 발라드 〈'Round Midnight〉, 〈A Child Is Born〉에 나타난 특징은 다음과 같다.

화성을 보면 피터슨은 조성의 변화가 없는 곡을 선택하였고 논다이어토닉 코드 사용으로 조성의 모호함을 주었으며 디미니쉬드 세븐스 용법의 어센딩 진행을 자주 사용하였다. 페달톤과 전위 코드로 페달 음, 베이스 음을 만들어 다음 코드로 연결하기도 하였으며 보조적 코드를 전위하여 베이스 음으로 사용하였고 릴레이티드 Ⅱm7, 어프로치 코드, 익스텐디드 도미넌트 세븐, 멜로딕 마이너 메이저 코드에 연속하여 마이너 코드 사용 등으로 곡에 따라 자신의 다양한 기법과 방식으로 연주하였다.

보이싱은 2노트, 3노트, 4노트의 보이싱이 사용되었는데 그것은 1·7음의 2노트, 1·5·7음의 3노트, 3·7음, 4·7음의 루트리스 2노트, 루트리스 4노트, 음 3개로 만든 포스(4도), 클러스터 보이싱 등이었다. 또한 근음과 7음 위에 3음의 10도 음정, 근음 위에 5음과 근음 위에 3음과 7음으로 만든 보이싱을 사용하였고 4웨이 클로즈의 드롭 2, 락드 핸즈를 사용하였다. 그는 간결한 보이싱을 사용하여 스윙 감각을 명확하게 인식시키는 연주를 하였고 오른손의 선율을 빠르고 화려하게 연주할 수 있게 하는 상호보조적인 역할을 하였다.

보이싱 사용은 10도 음정에 한음을 추가한 화음과 코드톤에서 3음을 뺀 화음을 사용하여 화성에 변화를 주었다. 2노트, 루트리스 2·3·4노트, 음 3개로 만든 포스 보이싱은 〈All of Me〉, 〈You Make Me Feel So Young〉, 〈Just in Time〉에서 사용되었다. 왼손 1·5·7화음과 같은 음형의 화음은 〈All of Me〉에서 사용되었고 클러스터 보이싱은 〈'Round Midnight〉, 〈A Child Is Born〉에서 사용하였다. 4웨이 클로즈의 드롭 2는 〈You Make Me Feel So Young〉, 〈Just in Time〉에서 사용하였고 락드 핸즈는 〈You Make Me

Feel So Young〉에서 셋잇단음 중간에 짧게 사용되었다. 피터슨은 텐션을 사용하여 보이싱을 만들었고 불협화음과 협화음을 적절한 비율로 연주에 적용하였으며 동시에 루트리스 보이싱을 사용하여 코드의 정체성을 모호하게 하였다. 그는 크로스 리듬을 사용하여 약간의 선율과 리듬에 변화를 주어 지루함을 해소하였다.

피터슨은 스윙 리듬 곡 〈You Make Me Feel So Young〉에서 트레몰로, 글리산도 주법을 자주 사용하여 인상적으로 연주하였다. 그는 32분음표의 트레몰로로 짧은 시간에 제자리의 보이싱을 최대한 빠르게 연주하여 인상적이며 극적인 효과를 주기도 하였다. 이러한 주법은 붙임줄이 연결된 공간, 한 섹션 연주 후나 새로운 프레이즈로 전환하고자 할 때, 연주곡 중간에 긴 박 또는 긴 쉼표가 있는 여백 부분에서 극적인 효과를 주고자 할 때 사용하였다. 〈'Round MIdnight 〉에서 그의 연주는 반음계적인 스케일과 아르페지오로 빠른 유니즌 선율을 연주하였다. 그는 유니즌 선율을 지속음 위, 아래, 또는 선율의 지속음 아래, 왼손의 지속음 위, 양손에서 단음의 유니즌으로 연주하였다. 또한 두 옥타브 간격으로 오른손은 옥타브로 왼손에서는 단음으로, 또는 양손에서 유니즌 선율을 옥타브로 배치하여 강하고 힘 있는 연주를 하였다. 〈Just in Time〉, 〈All of Me〉, 〈'Round Midnight〉에서도 양손 유니즌으로 연주하여 강한 선율의 움직임을 나타냈다. 발라드곡 〈'Round Midnight〉, 〈A Child Is Born〉을 연주할 때는 섞음박자와 3-5옥타브의 넓은 음역대로 「3」, 「4」, 「5」, 「6」, 「7」, 「9」, 「10」, 「11」, 「12」 잇단음, 싱코페이션을 사용하여 선율과 리듬을 변화하였고 아티큘레이션을 사용하여 깊은 감성과 감각적인 면을 표현하였다. 또한 다양한 아치 형태와 다이나믹한 셈여림의 효과로 연주하였다.

〈A Child Is Born〉에서는 원하는 음색을 내기 위하여 3/4박자의 한마디에서 왼손의 지속음 위에 테너 라인의 선율이 진행되는 동시에 오른손 선율은 점2분음표의 「4」 잇단음을 연주하였다. 오른손의 점2분음표의 「4」 잇단음 선율은 2분음표와 4분음표 2개를 배치하여 더욱 간결미를 보여주는 선율을 만들었다. 또한 다음마디에서 선율과 베이스음이 지속하는 가운데 알토 라인과 테너 라인에서 「3」 잇단음과 싱코페이션을 사용하여 단조로운 선율에 어울리도록 아름답게 만들어 연주하였다. 이 선율은 왼손의 지속음 위 테너 라인에서 4분음표의 「3」잇단음 배치와 싱코페이션을 4분음표로 연결하였다. 이 진행은 양손에서 잇단음을 사용하여 선율과 베이스 음이 지속하는 가운데 내성에서 움직이는 선율 연주방식을 알게 해주는 부분이었다. 이와 비슷한 부분은 이 곡 전체에서 적용되었고 이 외에도 간결한 곡에서 취할 수 있는 다른종류의 기법과 방식들도 알 수 있었다. 〈All of Me〉에서는 16분음표의 「3」잇단음으로 만든 모르덴트 꾸밈음과 「3」, 「5」잇단음의 반음계적인 스케일과 아르페지오의 화려함을 포함하여 스윙 감각으로 명확한 연주를 하였다. 그는 분석한 다섯 곡 모두에서 잇단음과 싱코페이션 사용으로 선율과 리듬의 변화를 주었으며 아티큘레이션을 사용하여 선율과 리듬에 생기를 불어넣었다.

피터슨은 블록 코드를 자주 연주하였는데 양손에서 같은 패턴으로 강한 선율과 리듬으로 연주하였고 오른손과 왼손의 간격은 불규칙하게 나타났다. 피터슨은 4웨이 클로즈의 드롭 2를 드롭하기도 하였지만 드롭 2음을 드롭하지 않고 중복하여 두껍게 사용함으로써 힘 있고 강한 사운드로 연주하였다.

〈Just in Time〉에서는 일정한 박자의 스윙 리듬으로 빠르게 연주하거나 같은 리듬으로 양손을 동시에 수직으로 연주하는 방식을 자주 사용하여 강력하고 힘 있는 음색으로 표현하였다. 또한 블록 코드와 4웨이 클로즈의 드롭 2음을 중복하여 강하고 무게감 있는 리듬으로 연주하였으며 반복된 선율과 리듬으로 클래식 음악에서 사용된 오스티나토와 비슷한 방법으로 반복(riff) 기법을 사용하였다. 또한 같은 패턴의 블록 코드(한옥타브에 완전5도 추가)를 양손에서 동시에 연주한 부분이 나타났다. 피터슨의 스텝와이즈 모션 연주는 〈You Make Me Feel So Young〉에서 핵심 선율과 베이스 음을 규칙적으로 연주하기도 하고 엇갈리지만 규칙적인 간격으로 연주하기도 하였다. 같은 곡에서 락드 핸즈 보이싱이 셋잇단음의 중간에 짧게 두 번 사용된 것으로 나타났다. 〈A Child Is Born〉 연주에서는 오른손의 선율과 왼손 코드톤의 지속음 위나 아래에서 또는 내성에서 간결한 보이싱과 반진행을 여러 번 하였다. 이 진행은 〈You Make Me Feel So Young〉에서도 선율과 리듬을 변형하기 위해 반진행과 사진행하였다. 그 밖에도 쉼표 부분의 필인(fill in) 연주에서 블루스 스케일을 활용하였다.

V. 결론

본 연구에서는 파웰, 피터슨의 연주에 나타난 다양한 연주 특징을 분석하였다. 분석을 위해 연주자별로 각각 다섯 곡을 선정하여 화성 진행과 리하모니제이션, 보이싱, 선율과 리듬의 변형에 초점을 맞추어 분석하였다.

화성 진행과 리하모니제이션 분석 결과를 보면 첫째, 그들은 전통적인 화성 진행 방식과는 다른 대체 코드를 사용함으로 악구의 변화와 조성의 모호함을 주었다. 둘째, 보이싱은 고전음악과 결합하여 선명한 음색, 화려한 스케일과 아르페지오를 스윙과 스트레이트로 개성 있는 연주를 보여주었다. 셋째, 선율과 리듬은 각각의 음들을 유기적으로 연결하여 특징적이고 독창적인 방법으로의 변형을 추구하였다. 기존에 획일적으로 사용했던 코드톤 사용 방식에서 음들을 재배열하여 자신만의 색깔을 나타냈다.

파웰은 비밥 색소폰 연주의 빠른 스케일을 피아노 연주에 적용하여 화려한 선율 연주의 역동성으로 청중에게 강한 인상을 주었다. 이 시기에 없던 새로운 코드, 새로운 선율과 리듬을 자신의 스타일에 녹여 창의적이며 독창적으로 연주하였다. 그는 기존에 화성 반주로만 사용되던 피아노를 테크니컬한 솔로 연주로 발전시켰다. 스윙, 펑크, 라틴(아프로큐반)리듬을 사용하여 혁신적 비밥 연주를 하였다. 쉼표가 있는 공간에는 릭, 필인을 사용하여 빈공간을 채워 전통적인 재즈 지식에 자신만의 스타일을 통합하여 반복적이며 경쾌하게 연주하였다. 그는 클래식 음악의 오스티나토와 같은 형태를 재즈 음악에 적용하여 뱀프, 펑크 리프 형태로 변형하여 특색있는 리듬을 창조하였다. 락드 핸즈 보이싱을 연주할 때는 왼손의 지속음 위 테너라인에 더블링하기도 하였으며 다음 코드의 독립적인 베이스 음과 연결함으로써 선율의 선명함을 주었다. 그는 발라드 선율에서 같은 음형이 반복되는 형태인 리피티드 노트 형태를 부분적으로 연주하기도 하였다. 이 리듬은 라틴(아프로큐반)리듬을 양손의 선율과 리듬에 코드의 구성음 수만 다르게 부분적으로 응용하여 사용되었다. 블록 코드 연주에서는 블록 코드 패턴을 왼손에 위치하고 오른손 보이싱과 동시에 연주함으로써 강한 리듬을 부각시켰으며 왼손에서 화성으로 연주하기도 하였다. 이러한 보이싱과 선율진행은 그만의 유연하고 세련된 느낌을 주기 위해 시도한 새로운 노력으로 보인다. 그리고 그는 기존의 화성 사용과 다르게 두 개, 세 개의 음으로 세련된 보이싱을 왼손과 오른손에서 만들어 사용하였는데 주로 클러스터, 포스, 루트리스 보이싱 등이 있었다. 발라드 연주에서는 섞음박자와 잇단음을 포함하여 왼손은 간결하게 연주하고 오른손은 반음계적이며 넓은 음역대의 화려한 아르페지오 선율로 고저를 살려 빠르고 정교하게 연주하였다. 이 기법들은 많은 재즈 피아니스트들의 기본적인 연주법이 되었으며 그의 혁신적인 연주는 현대 포스트밥 재즈 발전에 크게 기여하였다.

피터슨은 변화하는 다양한 문화적 배경과 역사적 맥락에 대한 융통성, 음악적 요구에 따라 자신의 연주 스타일을 혁신적으로 변화시켰다. 그는 다이나믹하고 테크니컬한 강한 스타일의 연주를 주로 하였으며 단조로운 발라드 연주에서는 간결미가 돋보이는 단아한 음색 표현을 위해 내성에서도 음들을 유기적으로 연결하였다. 그는 스윙을 연주할 때는 풍부하고 활력있는 리듬 패턴과 선율의 확장을 통한 역동성과 극적인 주법 활용으로 독특하게 연주하여 청중과 호흡할 수 있는 변곡점을 만들었다. 그는 비밥의 영향을 많이 받아 화려한 기교, 끊임없는 전환, 스윙 감각과 폭넓은 연주기법을 선보였다. 아티큘레이션과 싱코페이션, 유니즌 선율, 글리산도 주법과 트레몰로 주법은 그의 연주를 인상적이며 극적으로 만들어 주었다. 또한 4웨이 클로즈의 드롭 2 진행은 드롭하기도 하지만 드롭 2 하지 않고 중복하여 두껍고 강한 음색을 만들었고 락드 핸즈 보이싱은 셋잇단음의 중간에 짧게 사용하여 그 코드의 근음으로 연결하기 위해 사용되었다. 그는 스텝와이즈 모션을 하행하는 선율로 핵심 음과 베이스음이 서로 간격이 같거나 고른 엇갈림으로 진행하였다. 또한 양손에서 블록 코드와 유니즌 선율 형태로 선율과 리듬을 동시에 강한 사운드로 연주하였다. 또한 세 개의 음으로 된 블록 코드를 양손에서 같은 패턴으로 동시에 연주하기도 하였다. 그는 쉼표 부분 필인 연주에서 오른손의 선율로 블루스 스케일을 활용하여 공간을 채워 연주하였다. 특히 발라드를 연주할 때는 섞음박자와 잇단음을 사용하여 선율과 리듬에 변화를 주었고 3-5옥타브의 넓은 음역대의 빠른 스케일과 아르페지오로 화려하게 펼쳐 연주하였다. 그는 제목과 어울리는 발라드 선율에서 개성을 드러냈으며 스윙곡의 연주에서 극적인 기량을 발휘하여 스윙과 스트레이트로 청중과 함께 교감하는 독특한 연주 스타일의 하드 밥 재즈를 구현하였다.

참고문헌

1. 한국어 문헌

정윤수, 『20세기 인물 100과 사전』. 제주: 숨비소리, 2008.

남무성, 『재즈 잇 업 Jazz it up!』. 경기: 서해문집, 2021.

삼호뮤직, 『파퓰러음악용어사전 & 클래식음악용어사전』. 경기: 2002.

2. 번역서

Berendt, Joachim Ernst. 『재즈 북』. 한종현 역. 서울: 더이룸출판사, 2017.

Felts, Randy. 『리하모니제이션 테크닉』. 이지원·최성락 역. 경기: ㈜ 음악세계, 2004.

Giddins, Gary. & DeVeaux, Scott. 『재즈』. 황덕호 역. 서울: 까치글방, 2012.

Gridley, Mark. 『재즈 총론』. 심상범 역. 서울: 삼호 뮤직, 2002.

Levinc, Mark. 『재즈 이론』. 최종하 역. 서울: 스코어, 2022.

Pettinger, Peter. 『빌 에반스』. 황덕호 역. 서울: 을유문화사, 2008.

Szwed, John. 『마일스 데이비스』. 김현준 역. 서울: 을유 문화사, 2005.

Szwed, John. 『재즈 오디세이』. 서정협 역. 경기: 바세, 2013.

3. 외국어 서적

D'Accord Music, Inc., *Oscar Peterson piano Solo*, ©1969 〈A Child Is Born〉, Milwaukee: Hal·Leonard Corporation. (n.d.).

Edstrom, Brent. *Oscar Peterson*, Milwaukee: Hal·Leonard Corporation. (n.d.).

EMI Longitude Music, *Bud Powell*, ©1953 〈Un Poco Loco〉, Milwaukee: Hal·Leonard Corporation. (n.d.).

Gerald Marks Music & Marlong Music Corp, *Oscar Peterson Piano Solos*, ©1931 〈All of Me〉 Milwaukee: Hal·Leonard Corporation. (n.d.).

Hal·Leonard, Corp., *The Real Book(Standard Jazz Book)*, 〈Celia〉, 〈A Night in Tunisi a〉, 〈It Could happen to You〉, 〈April in Paris〉, 〈Un Poco Loc o⟩, ⟨All of Me⟩, ⟨You Make Me Feel So Young⟩, ⟨'Round Midnight⟩, ⟨Just in Time⟩, ⟨A Child Is Born⟩, Milwaukee: Hal·Leonard, Corporation, Transcription, 2004.

Kay Duke Music & Glocca Morra Music, *Bud Powell*, ©1932 ⟨April in Paris⟩, Milwaukee: Hal·Leonard Corporation. (n.d.).

Lees, Gene. "*Oscar Peterson: the will to swing*", California: Prima Publishing & Communications, 1990.

Rizzo,Gene. *Bud Powell*, 'Milwaukee: Hal·Leonard Corporation. (n.d.).

Stratford Music Corp., *Oscar Peterson piano Solo*, ©1956 ⟨Just in Time⟩, Milwaukee: Hal·Leonard Corporation. (n.d.).

Thelonious Music Corp., and Warner Bros. Inc., *Oscar Peterson*, ©1944 ⟨'Round Midnight⟩, Milwaukee: Hal·Leonard, Corporation. (n.d.).

WB Music Corp., *Oscar Peterson piano Solo*, ©1946 ⟨You Make Me Feel So Young⟩, Milwaukee: Hal·Leonard Corporation. (n.d.).

Yanow, Scott. *All Music guide to jazz*, San Francisco: Miller Freeman Books. 1998.

Yanow, Scott. *Bebop*, San Francisco: Miller Freeman Books, 2000.

4. 국내 학위논문

김미희. "오스카 피터슨(Oscar Peterson)의 독주(Solo) 스타일 분석연구; 재즈 발라드(Jazz ballads)를 중심으로." 석사학위논문, 상명대학교 예술디자인대학원, 2012.

김은진. "재즈 피아니스트 버드 파웰의 연주기법 연구." 석사학위논문, 경희대학교 아트퓨전디자인대학원, 2009.

서초미. "Bud Powell의작품 Un Poco Loco에 나타난 Latin적 특징과 연주기법에 관한 연구." 석사학위논문, 경희대학교 아트퓨전디자인대학원, 2015.

송원실. "재즈의 즉흥연주법에 있어서 Bud Powell과 Bill Evans에 관하여." 석사학위논문, 동의대학교 영상정보대학원, 2010.

이혜미. "재즈 피아니스트 오스카 피터슨(Oscar Peterson)의 즉흥연주 분석

연구." 석사학위논문, 경희대학교 아트·퓨전디자인대학원, 2020.

황성현. "오스카 피터슨의 즉흥연주에 관한 분석연구." 석사학위논문, 상명대
  학교 대학원, 2010.

5. 외국어 학위논문

DeMotta, David Joseph III. "The Contributions of Earl 'Bud' Powell to the
  Modern Jazz Style", Doctor of Philosophy, The City University of
  New York, 2015.

Hansen, Frank A. "The Arrangement Qualities and Musical Style of the
  Oscar Peterson Trio: 1959-1965", Doctor of Musical Arts, Five
  Towns College, 2014.

Mok, Lucille Yehan. "Glenn Gould, Oscar Peterson, and New World
  Virtuosities", Doctor of Philosophy, Harvard University, 2014.

Ramsey, Guthrie P., Jr. "The Art of Bebop: Earl 'Bud' Powell and the
  Emergence of Modern Jazz", Doctor of Philosophy, University of
  Michigan, 1994.

6. 웹 사이트

"더 뉴 그로브 음악 및 음악가 사전."
    "The New Grove Dictionary of Music and Musicians."
    Bud Powell, Oscar Peterson.

"버드 파웰 연주곡 'Marco Di Gennaro, Trascrizione' 〈Celia〉 . "
    http://www.marcodigennaro.com/Transcr/PDF/BUD_POWE.pdf
    (accessed October 02, 2020).

"오스카 피터슨의 생애 배경 정보 'Oscar Peterson'."
    http://www.alevy.com/peterson.htm (accessed December 11, 2022).
    www.thecanadianencyclopedia.ca/en/article/oscar-peterson
    (accessed October 09, 2022).

〈화성 분석 이론〉

1. 관계조(Related Key):
 * 나란한조(Relative Key – 동일 조성의 장조와 단조(=병행조): C–Am)
 * 같은으뜸음조(Parallel Key – 조성이 다른 같은으뜸음조: C–Cm)
 * 세컨더리 도미넌트(Secondary Dominant Key)
  (*장음계의 여섯 번째 음부터 5개 → 근음이 같다. V7/Ⅱ...)
 * 서브스티튜트 도미넌트(Substitute Dominant Key)
  (*장음계의 반음 위(단2도 위) 6개 → subV7...)

2. 같은으뜸음조(Parallel Key) – 12 key 적용 / 예) C key, B key

 1) C key

스케일	같은으뜸음조(Parallel Key) – 세븐 코드 (C–Cm)						
Major (Ionian)	I maj7 Cmaj7	Ⅱm7 Dm7	Ⅲm7 Em7	Ⅳmaj7 Fmaj7	V7 G7	Ⅵm7 Am7	Ⅶm7(^{b}5) Bm7(^{b}5)
Natural minor (Aeolian)	I m7 Cm7	Ⅱm7(^{b}5) Dm7(^{b}5)	^{b}Ⅲmaj7 E^{b}maj7	Ⅳm7 Fm7	Vm7 Gm7	^{b}Ⅵmaj7 A^{b}maj7	^{b}Ⅶ7 B^{b}7
Harmonic minor	I m(maj7) Cm(maj7)	Ⅱm7(^{b}5) Dm7(^{b}5)	^{b}Ⅲmaj7($^\#$5) E^{b}maj7($^\#$5)	Ⅳm7 Fm7	V7 G7	^{b}Ⅵmaj7 A^{b}maj7	Ⅶdim7 Bdim7
Melodic minor	I m(maj7) Cm(maj7)	Ⅱm7 Dm7	^{b}Ⅲmaj7($^\#$5) E^{b}maj7($^\#$5)	Ⅳ7 F7	V7 G7	Ⅵm7(^{b}5) Am7(^{b}5)	Ⅶm7(^{b}5) Bm7(^{b}5)

2) B key

스케일	같은으뜸음조(Parallel Key) - 세븐스 코드 (B-Bm)						
Major (Ionian)	I maj7 Bmaj7	II m7 C#m7	IIIm7 D#m7	IVmaj7 Emaj7	V 7 F#7	VIm7 G#m7	VIIm7(^{b}5) A#m7(^{b}5)
Natural minor (Aeolian)	I m7 Bm7	II m7(^{b}5) C#m7(^{b}5)	^{b}IIImaj7 Dmaj7	IVm7 Em7	V m7 F#m7	^{b}VImaj7 Gmaj7	^{b}VII7 A7
Harmonic minor	I m(maj7) Bm(maj7)	II m7(^{b}5) C#m7(^{b}5)	^{b}IIImaj7($^#$5) Dmaj7($^#$5)	IVm7 Em7	V 7 F#7	^{b}VImaj7 Gmaj7	VIIdim7 A#dim7
Melodic minor	I m(maj7) Bm(maj7)	II m7 C#m7	^{b}IIImaj7($^#$5) Dmaj7($^#$5)	IV7 E7	V 7 F#7	VIm7(^{b}5) G#m7(^{b}5)	VIIm7(^{b}5) A#m7(^{b}5)

3. 모달 코드(Modal Chord) - 12 key 적용

모 드 (Mode)	모달 코드(모달 인터체인지 코드-모드 음계 위에 쌓아 만듦)						
Ionian	I maj7	II m7	IIIm7	IVmaj7	V 7	VIm7	VIIm7(^{b}5)
Dorian	I m7	II m7	^{b}IIImaj7	IV7	V m7	VIm7(^{b}5)	^{b}VIImaj7
Phrygian	I m7	^{b}II maj7	^{b}III7	IVm7	V m7(^{b}5)	^{b}VImaj7	^{b}VIIm7
Lydian	I maj7	II 7	IIIm7	$^#$IVm7(^{b}5)	V maj7	VIm7	VIIm7
Mixolydian	I 7	II m7	IIIm7(^{b}5)	IVmaj7	V m7	VIm7	^{b}VIImaj7
Aeolian	I m7	II m7(^{b}5)	^{b}IIImaj7	IVm7	V m7	^{b}VImaj7	^{b}VII7
Locrian	I m7(^{b}5)	^{b}II maj7	^{b}IIIm7	IVm7	^{b}V maj7	^{b}VI7	^{b}VIIm7

3-1. 모달 코드 / 예) C key, B key)

Mode	모달 코드(모달 인터체인지 코드) / 예) C, B key						
Ionian (=major)	I maj7 Cmaj7 Bmaj7	IIm7 Dm7 C#m7	IIIm7 Em7 D#m7	IVmaj7 Fmaj7 Emaj7	V7 G7 F#7	VIm7 Am7 G#m7	VIIm7(^{b}5) Bm7(^{b}5) A#m7(^{b}5)
Dorian	I m7 ∗Cm7 ∗Bm7	IIm7 Dm7 C#m7	^{b}IIImaj7 E^{b}maj7 Dm7	IV7 F7 E7	V m7 Gm7 F#m7	VIm7(^{b}5) Am7(^{b}5) G#m7(^{b}5)	^{b}VIImaj7 B^{b}maj7 Amaj7
Phrygian	I m7 ∗Cm7 ∗Bm7	^{b}II maj7 D^{b}maj7 Cmaj7	^{b}III7 E^{b}7 D7	IVm7 Fm7 Em7	V m7(^{b}5) Gm7(^{b}5) F#m7(^{b}5)	^{b}VImaj7 A^{b}maj7 Gmaj7	^{b}VIIm7 B^{b}m7 Am7
Lydian	I maj7 ∗Cmaj7 ∗Bmaj7	II 7 D7 C#7	IIIm7 Em7 D#m7	#IVm7(^{b}5) F#m7(^{b}5) Em7(^{b}5)	V maj7 Gmaj7 F#maj7	VIm7 Am7 G#m7	VIIm7 Bm7 A#m7
Mixo lydian	I 7 ∗C7 ∗B7	IIm7 Dm7 C#m7	IIIm7(^{b}5) Em7(^{b}5) D#m7(^{b}5)	IVmaj7 Fmaj7 Emaj7	V m7 Gm7 F#m7	VIm7 Am7 G#m7	^{b}VIImaj7 B^{b}maj7 Amaj7
Aeolian (=Natural -minor)	I m7 ∗Cm7 ∗Bm7	IIm7(^{b}5) Dm7(^{b}5) C#m7(^{b}5)	^{b}IIImaj7 E^{b}maj7 Dmaj7	IVm7 Fm7 Em7	V m7 Gm7 F#m7	^{b}VImaj7 A^{b}maj7 Gmaj7	^{b}VII7 B^{b}7 A7
Locrian	I m7(^{b}5) ∗Cm7(^{b}5) ∗Bm7(^{b}5)	^{b}II maj7 D^{b}maj7 Cmaj7	^{b}IIIm7 E^{b}m7 Dm7	IVm7 Fm7 Em7	^{b}V maj7 G^{b}maj7 Fmaj7	^{b}VI7 A^{b}7 G7	^{b}VIIm7 B^{b}m7 Am7

3-2. 자주 쓰이는 모달 인터체인지 코드(Modal Interchange Chord)

∗ 자주 쓰이는 모달 인터체인지 세븐스 코드 14개 / 예) C key	
분석 명칭	I m7, ^{b}II maj7, IIm7(^{b}5), ^{b}IIImaj7, IVm7, IV7, #IVm7(^{b}5), V m7, V 7(^{b}9,^{b}13), V maj7, ^{b}VI7, ^{b}VImaj7, ^{b}VII7, ^{b}VIImaj7
코드 명칭	Cm7, D^{b}maj7, Dm7(^{b}5), E^{b}maj7, Fm7, F7, F#m7(^{b}5), Gm7, G7(^{b}9), Gmaj7, A^{b}7, A^{b}maj7, B^{b}7, B^{b}maj7

4. 모드 스케일과 넘버링 12 key 적용 / 예) C key → 근음이 같은 7개

MODE (*변화음)	스케일 넘버링	특징음	반음	
Ionian	C D E F G A B C 1, T9, 3, S4, 5, T13, 7, 1	F (4)	E, F 3-S4	B, C 7-8
Dorian (^{b}3,^{b}7)	C D E^b F G A B^b C 1, T9, ^{b}3, T11, 5, S6, ^{b}7, 1	A (6)	D, E^b 2-^{b}3	A, B^b S6-^{b}7
Phrygian (^{b}2,^{b}3,^{b}6,^{b}7)	C D^b E^b F G A^b B^b C 1, S^{b}2, ^{b}3, T11, 5, S^{b}6, ^{b}7, 1	D^b (^{b}2)	C, D^b 1-S^{b}2	G, A^b 5-S^{b}6
Lydian ($^\#$4)	C D E F$^\#$ G A B C 1, T9, 3, T$^\#$11, 5, T13, 7, 1	F$^\#$ (T$^\#$11($^\#$4))	F$^\#$, G T$^\#$11-5	B, C 7-8
Mixolydian (^{b}7)	C D E F G A B^b C 1, T9, 3, S4, 5, T13, ^{b}7, 1	B^b (^{b}7)	E, F 3-S4	A, B^b T13-^{b}7
Aeolian (^{b}3,^{b}6,^{b}7)	C D E^b F G A^b B^b C 1, T9, ^{b}3, T11, 5, S^{b}6, ^{b}7, 1	A^b (^{b}6)	D, E^b T9-^{b}3	G, A^b 5-S^{b}6
Locrian (^{b}2,^{b}3,^{b}5,^{b}6,^{b}7)	C D^b E^b F G^b A^b B^b C 1, S^{b}2, ^{b}3, T11, ^{b}5, T^{b}13, ^{b}7, 1	D^b, G^b (^{b}2, ^{b}5)	C, D^b 1-S^{b}2	F, G^b T11-^{b}5

5. 세컨더리(secondary) 도미넌트 세븐스 코드 → 12 key 적용

세컨더리 도미넌트 세븐 코드 5개 → C key (*V7 → 프라이머리 도미넌트)				
세컨더리 dom7	코드	믹소리디안의 변형 분석 → 코드톤 → 조표의 다이어토닉 음(임시표) → 스케일 넘버링	특징음	avoid note
V7/II	(A7)	A B C C$^\#$ D E F G A 1, T9, T$^\#$9, 3, S4, 5, T^{b}13, ^{b}7, 1	^{b}13	D
V7/III	(B7)	B C D D$^\#$ E F$^\#$ G A B 1, T^{b}9, T$^\#$9, 3, S4, 5, T^{b}13, ^{b}7, 1	^{b}9, ^{b}13	E
V7/IV	(C7)	C D E F G A B^b C 1, T9, 3, S4, 5, T13, ^{b}7, 8(1)	Mixo	F
V7/V	(D7)	D E F F$^\#$ G A B C D 1, T9, T$^\#$9, 3, S4, 5, T13, ^{b}7, 8(1)	Mixo	G
V7/VI	(E7)	E F G G$^\#$ A B C D E 1, T^{b}9, T$^\#$9, 3, S4, 5, T^{b}13, ^{b}7, 8(1)	^{b}9, ^{b}13	A

6. 세컨더리 도미넌트 세븐 코드와 서브스티튜트 도미넌트 세븐 코드

세컨더리(Secondary) 도미넌트 세븐 코드 5개 → 12 key 적용 / 예) C key	

C key
 	
*여섯 번째 음
위에 쌓은 코드
	V7(프라이머리) // V7/II, V7/III, V7/IV, V7/V, V7/VI
	A7, B7, C7, D7, E7

서브스티튜트(substitute) 도미넌트 세븐 코드 6개 → 12key 적용 / 예) C key	
C key *반음 위에 쌓은 코드	subV7, subV7/II, subV7/III, subV7/IV, subV7/V, subV7/VI D^b7 E^b7 F7 G^b7 A^b7 B^b7 *스케일의 핵심 변화음 → $^\#11(^\#4)$

7. 디미니쉬드 세븐스 코드((Diminished 7th chord) 용법의 3가지

디미니쉬드 세븐 용법 3가지 적용 → 8개		dim 7th 코드 스케일 / 예) C key
어센딩	I maj7-$^\#$I dim7-II m7 혹은 V7/5	코드톤+텐션 => dim7 스케일 $^\#$I dim7+II m7(C$^\#$dim7+Dm7 혹은 G7/5)
	II m7-$^\#$II dim7-III m7 혹은 I/3	$^\#$II dim7-III m7(D$^\#$dim7+Em7 혹은 C/3)
	IVmaj7-$^\#$IVdim7-V7 혹은 I/5	$^\#$IVdim7+V7(F$^\#$dim7+G7 혹은 C/5)
	V7-$^\#$V dim7-VIm7 혹은 V7/II	$^\#$V dim7+VIm7(G$^\#$dim7+Am7 혹은 A7)
디센딩	VIm7-^{b}VIdim7-V7 혹은 I/5	^{b}VIdim7+V7(A^{b}dim7+G7 혹은 C/5)
	III m7-^{b}III dim7-II m7 혹은 V7/5	^{b}III dim7+II m7(E^{b}dim7+Dm7 혹은 G7/5)
보조적	I maj7 - I dim7 - I maj7	I dim7+III m7/^{b}7 혹은 V7/5(Cdim7+Em7/^{b}7 혹은 G7/5)
	V7 - V dim7 - V7	Vdim7+II m7/5(Gdim7+Dm7/5)

7-1. 디미니쉬드 세븐스 코드(Diminished 7th chord)와 1-3전위, 씨메트릭 도미넌트 스케일(Symmetric dominant scale)

*스케일과 넘버링-도미넌트를 위한 일터드(altered) 스케일 헛갈리기 쉬운 부분 같이 보기

디미니쉬드 세븐 용법 8개 외 1-3전위, 씨메트릭 디미니쉬드·씨메트릭 도미넌트-(*얼터드(altered)) 스케일	
어센딩 용법 4개와 코드 넘버링	
Ⅰmaj7-#Ⅰdim7-Ⅱm7 혹은 Ⅴ7/5 (C#dim7+Dm7) 혹은 D7/D	'1, Sb2, b3, S3, b5, Tb13, °7, T7, 1' (반, 온, 반, 온, 온, 반, 온, 반)
Ⅱm7-#Ⅱdim7-Ⅲm7 혹은 Ⅰ/3 (D#dim7+Em7) 혹은 C/E	
Ⅳmaj7-#Ⅳdim7-Ⅴ7 혹은 Ⅰ/5 (F#dim7+G7) 혹은 C/G	'1, Sb2, b3, T11, b5, Tb13, °7, T7, 1'
Ⅴ7-#Ⅴdim7-Ⅵm7 혹은 Ⅴ7/Ⅱ (G#dim7+Am7) 혹은 A7	'1, Sb2, b3, S3, b5, Tb13, °7, T7, 1'
디센딩 용법 2개와 코드 넘버링	
Ⅵm7-bⅥdim7-Ⅴ7 혹은 Ⅰ/5 (Abdim7+Am7) 혹은 C/G	'1, Sb2, b3, S3, b5, Tb13, °7, T7, 1'
Ⅲm7-bⅢdim7-Ⅱm7 혹은 Ⅴ7/5 (Ebdim7+Em7) 혹은 G7/D	
보조적 용법 2개와 코드 넘버링	
Ⅰmaj7- Ⅰdim7- Ⅰmaj7 / C°7+Em7(Ⅲm7)의 3전위	'1, T9, b3, S3, b5, S5, °7, T7, 1'
Ⅰmaj7- Ⅰdim7- Ⅰmaj7 / C°7+G7(Ⅴ7)의 2전위	'1, T9, b3, T11, b5, S5, °7, T7, 1'

V7-Vdim7-V7	G°7+Dm7의 2전위	'1, T9, ♭3, T11, ♭5, S5, °7, S♭7, 1'

*#Ⅳdim7+Ⅲm7 1전위(F#dim7+Em7))=F#, A, C, D# + G, B, D, E

→ F#, G, A, B, C, D, D#, E, F#

 F#dim7 넘버링: '1, S♭2, ♭3, T11, ♭5, T♭13, °7, S♭7, 1'

*dim7 3전위 한 코드 스케일의 어보이드 노트(E, G)

 Ⅰdim7+Ⅲm7 3전위(Cdim7+Em7)=C, E♭, G♭, A + D, E, G, B

→ C, D, E♭, <u>E</u>, G♭, <u>G</u>, A, B, C

 Cdim7 넘버링: '1, T9, ♭3, S3, ♭5, S5, °7, T7, 1'

* Ⅰdim7+V7 2전위(Cdim7+G7 2전위)=C, E♭, G♭, A + D, F, G, B

→ C, D, E♭, F, G♭, G, A, B, C

 Cdim7 넘버링: '1, T9, ♭3, T11, ♭5, S5, °7, T7, 1'

*Vdim7+Ⅱm7 2전위(Gdim7+Dm7) = G, B♭, D♭, E + A, C, D, F

→ G, A, B♭, C, D♭, D, E, F, G,

 Gdim7 스케일 넘버링: '1, T9, ♭3, T11, ♭5, S5, °7, S♭7, 1'

---

*씨메트릭 디미니쉬드 스케일(Ⅰdim7+Ⅱdim7=Cdim7+Ddim7)

=C, E♭, G♭, A+D, F, A♭, B)

→ C, D, E♭, F, G♭, A♭, A, B, C (온,반.온.반...)

 Cdim7 스케일 넘버링: '1, T9, ♭3, T11, ♭5, T♭13, °7, T7, 1'

---

*씨메트릭 도미넌트 스케일(Ⅰdim7+♭Ⅱdim7=(Cdim7+D♭dim7)

=C, E♭, G♭, A + D♭, E, G, B♭

→ C, D♭, E♭, E, G♭, G, A, B♭, C (반, 온, 반, 온...)

 Cdim7 씨메트릭 도미넌트 세븐 스케일 넘버링:

'1, T♭9, T#9, 3, ♭5, <u>5, T13</u>, ♭7, 1'

---

*도미넌트 스케일을 위한 스케일로 얼터드 스케일은 씨메트릭 도미넌트 스케일과 헛갈리기 쉽다. V7(♭9,#11,♭13) → C7(♭9,#11,♭13) *(반, 온, 반, 온, 온, 온, 온)

=(C, D♭, E♭, E, G♭, A♭, B♭, C)

 C7 얼터드 스케일 넘버링: '1, T♭9, T#9, 3, ♭5, <u>T♭13</u>, ♭7, 1')

7-2. 씨메트릭 디미니쉬드 세븐스 스케일(Symmetric Diminished 7th Scale 과 씨메트릭 도미넌트 세븐스 스케일·얼터드 스케일 비교

Sym. dim. 스케일은 온음, 반음으로 연속되는 스케일	
분석표기, 코드네임	C, C#, D#, F#, G# → 5개의 Sym. dim7 스케일
I dim7 + II dim7, (Cdim7 + Ddim7)	1, T9, ♭3, T11, ♭5, T♭13, dim7, T7, 1 (C, D, E♭, F, G♭, A♭, A, B, C)
#I dim7 + #II dim7, (C#dim7 + D#dim7)	1, T9, ♭3, T11, ♭5, T♭13, dim7, T7, 1 (C#, D#, E, F#, G, A, B♭, C, C#)
#II dim7 + #III dim7, (D#dim7 + E#dim7)	1, T9, ♭3, T11, ♭5, T♭13, dim7, T7, 1 (D#, E#, F#, G#, A, B, C, D, D#)
#IV dim7 + #V dim7, (F#dim7 + G#dim7)	1, T9, ♭3, T11, ♭5, T♭13, dim7, T7, 1 (F#, G#, A, B, C, D, E♭, F, F#)
#V dim7 + #VI dim7, (G#dim7 + A#dim7)	1, T9, ♭3, T11, ♭5, T♭13, dim7, T7, 1 (G#, A#, B, C#, D, E, F, G, G#)
* 어떤 음에서 시작하는 Sym. dim7 스케일은 상행, 하행, 보조적, 디미니쉬드 세븐 코드의 스케일에서는 어보이드 노트가 없다.	
Sym. dim. 스케일	*온, 반, 온, 반, 온, 반, 온, 반 ← 음정 간격 *Sym. dim. 스케일은 어떤 dim7 코드에서 장2도 위에 근음을 갖는 dim7 코드의 텐션을 갖는 씨메트릭 디미니쉬드 세븐 스케일이다.
Sym. 도미넌트 스케일	*반, 온, 반, 온, 반, 온, 반, 온 ← 음정 간격 *Sym. dim.에서 Sym. 도미넌트로 바뀌게 된 것은 이 코드 스케일이 디미니쉬드 코드에서 쓰는 코드 스케일이기 때문이다. *씨메트릭 도미넌트 스케일은 어떤 음에서 단2도 위에 근음을 갖는 dim7 코드를 텐션으로 갖는다.
디미니쉬드 세븐스 코드 용법을 제외한 dim7 → Sym. dim.	*디미니쉬드 7th 용법 8개: #I dim7, #II dim7, #IV dim7, #V dim7, ♭III dim7, ♭VI dim7, I dim7, V dim7이다. *8가지 디미니쉬드 세븐 용법을 제외한 디미니쉬드 코드는 씨메트릭 디미니쉬드 스케일로 사용하는 것이 좋다.

	*Sym dim. 스케일을 콤비네이션 도미넌트(Combination dominant) 스케일이라고도 한다.		
도미넌트 스케일을 위한 스케일로 얼터드(altered) 스케일과 씨메트릭 도미넌트 스케일	얼터드 스케일과 씨메트릭 도미넌트 스케일 비교		
	C alt	1, T♭9, T#9, 3, ♭5, T♭13, ♭7, 1 (C, D♭, E♭, E, G♭, A♭, B♭, C) H W H W W W W 반 온 반 온 온 온 온	
	C Sym. dom.	1, T♭9, T#9, 3, ♭5, 5, T13, ♭7, 1 (C, D♭, E♭, E, G♭, G, A, B♭, C) H W H W H W H W 반 온 반 온 반 온 반 온	

8. 각종 스케일

1) 솔페지(Solfege): 계명창(반음계=크로메틱 스케일 12 key 적용)

솔페지(Solfege): 계명으로 노래 부르기			
# (샤프)	Do(도), Di(디), Re(레), Ri(리), Mi(미), Fa(파), Fi(피), Sol(솔), Si(시), La(라), Li(리), Ti(티), Do(도) *(도, 디, 레, 리, 미, 파, 피, 솔, 시, 라, 리, 티, 도)		
b (플랫)	Do(도), Ti(티), Te(테), La(라), Re(레), Sol(솔), Se(세), Fa(파), Mi(미), Me(메), Re(레), Ra(라), Do(도) *(도, 티, 테, 라, 레, 솔, 세, 파, 미, 메, 레, 라, 도)		
*음이름	다 라 마 바 사 가 나 = C D E F G A B	*병행조(조표 동일): 장조 단3도 아래 → 단조 *C-Am, G-Em, D-Bm...	
*계이름	도 레 미 파 솔 라 시		
*조표 순서	#	파 도 솔 레 라 미 시 → 마지막 붙인 조표 바로 위 음이 으뜸음	
	b	시 미 라 레 솔 도 파 → 마지막 붙인 조표 바로 전의 조표 자리가 으뜸음 *조표에 b이 한 개 붙었을 때 b이 붙어있는 자리에서 완전4도 아래(완전5도 위) F(바‚파)음이 으뜸음.	
*5도권 12 key	#(샤프) ▶ C-G-D-A-E-B(C♭)-F#(G♭)-D♭(C#)-A♭-E♭-B♭-F ◀ b(플랫) *딴 이름 동일 key 3개 → D♭ = C#, G♭ = F#, B = C♭ / * 완전5도 간격		

2) 펜타토닉(Pentatonic), 블루스(Blues), 홀 톤(Whole Tone), 씨메트릭 디미니쉬드, 씨메트릭 도미넌트 스케일

펜타토닉, 블루스, 홀 톤, (온음/반음)-(반음/온음) → 씨메트릭 디미니쉬드 Whole Step/Half Step, 씨메트릭 도미넌트-Half Step/Whole Step 스케일		
펜타토닉	Major	C, D, E, G, A(도 레 미 솔 라)
	minor	C, E^b, F, G, B^b (도, 미^b, 파, 솔, 시^b)
블루스	Blues	C, E^b, F, F$^\#$, G, B^b (도, 미^b, 파, 파$^\#$, 솔, 시^b)
		*블루스 스케일은 마이너 펜타토닉에서 F$^\#$(파$^\#$)의 변화
온음 스케일	W.T	도, 레, 미, 파$^\#$, 솔$^\#$, 라$^\#$(시^b), 도,
온음/반음	W/H	도, 레, 미^b, 파, 파$^\#$, 솔$^\#$, 라, 시. 도 → (Sym. dim7)
반음/온음	H/W	도, 도$^\#$, 레$^\#$, 미, 파$^\#$, 솔, 라, 시^b, 도 → (Sym. dom7)

9. 화성 분석-도미넌트 세븐의 기본적인 12 key 해결
▶ C-F-B^b-E^b-A^b-D^b(C$^\#$)-G^b(F$^\#$)-B(C^b)-E-A-D-G

조성	2가지 도미넌트가 다이어토닉 코드로의 진행 / 12 Key V7 - subV7- I maj7의 진행은 V7이 완전5도 하행하여 I maj7으로 해결하는 중간에 subV7이 반음 하행하여 I maj7을 꾸미는 것이다.						
C	V7 G7	subV7 D^{b}7	I maj7 Cmaj7	V7/II A7	subV7/II E^{b}7	IIm7 Dm7	
	V7/III B7	subV7/III F7	IIIm7 Em7	V7/IV C7	subV7/IV G^{b}7	IVmaj7 Fmaj7	
	V7/V D7	subV7/V A^{b}7	V7 G7	V7/VI E7	subV7/VI B^{b}7	VIm7 Am7	VIIm7$^{(b5)}$ Bm7$^{(b5)}$
F	V7 C7	subV7 G^{b}7	I maj7 Fmaj7	V7/II D7	subV7/II A^{b}7	IIm7 Gm7	
	V7/III E7	subV7/III B^{b}7	IIIm7 Am7	V7/IV F7	subV7/IV B7	IVmaj7 B^{b}maj7	

Key	V7/x	subV7/x	(chord)		V7/x	subV7/x	(chord)	VIIm7(b5)
	V7/V G7	subV7/V Db7	V7 C7		V7/VI A7	subV7/VI Eb7	VIm7 Dm7	VIIm7(b5) Em7(b5)
Bb	V7 F7	subV7 B7	Imaj7 Bbmaj7		V7/II G7	subV7/II Db7	IIm7 Cm7	
	V7/III A7	subV7/III Eb7	IIIm7 Dm7		V7/IV Bb7	subV7/IV E7	IVmaj7 Ebmaj7	
	V7/V C7	subV7/V Gb7	V7 F7		V7/VI D7	subV7/VI Ab7	VIm7 Gm7	VIIm7(b5) Am7(b5)
Eb	V7 Bb7	subV7 E7	Imaj7 Ebmaj7		V7/II C7	subV7/II Gb7	IIm7 Fm7	
	V7/III D7	subV7/III Ab7	IIIm7 Gm7		V7/IV Eb7	subV7/IV A7	IVmaj7 Abmaj7	
	V7/V F7	subV7/V B7	V7 Bb7		V7/VI G7	subV7/VI Db7	VIm7 Cm7	VIIm7(b5) Dm7(b5)
Ab	V7 Eb7	subV7 A7	Imaj7 Abmaj7		V7/II F7	subV7/II B7	IIm7 Bbmaj7	
	V7/III G7	subV7/III Db7	IIIm7 Cm7		V7/IV Ab7	subV7/IV D7	IVmaj7 Dbmaj7	
	V7/V Bb7	subV7/V E7	V7 Eb7		V7/VI C7	subV7/VI Gb7	VIm7 Fm7	VIIm7(b5) Gm7(b5)
Db (C#)	V7 Ab7	subV7 D7	Imaj7 Dbmaj7		V7/II Bb7	subV7/II E7	IIm7 Ebm7	
	V7/III C7	subV7/III Gb7	IIIm7 Fm7		V7/IV Db7	subV7/IV G7	IVmaj7 Gbmaj7	
	V7/V Eb7	subV7/V A7	V7 Ab7		V7/VI F7	subV7/VI B7	VIm7 Bbm7	VIIm7(b5) Cm7(b5)
Gb (F#)	V7 Db7	subV7 G7	Imaj7 Gbmaj7		V7/II Eb7	subV7/II A7	IIm7 Abm7	
	V7/III F7	subV7/III B7	IIIm7 Bbm7		V7/IV Gb7	subV7/IV C7	IVmaj7 Cbmaj7(Bmaj7)	
	V7/V Ab7	subV7/V D7	V7 Db7		V7/VI Bb7	subV7/VI E7	VIm7 Ebm7	VIIm7(b5) Fm7(b5)

B (C♭)

V7	subV7	I maj7	V7/II	subV7/II	IIm7	
F#7	C7	Bmaj7	G#7	D7	C#m7	
V7/III	subV7/III	IIIm7	V7/IV	subV7/IV	IVmaj7	
A#7	E7	D#m7	B7	F7	Emaj7	
V7/V	subV7/V	V7	V7/VI	subV7/VI	VIm7	VIIm7(b5)
C#7	G7	F#7	D#7	A7	G#m7	A#m7(b5)

E

V7	subV7	I maj7	V7/II	subV7/II	IIm7	
B7	F7	Emaj7	C#7	G7	F#m7	
V7/III	subV7/III	IIIm7	V7/IV	subV7/IV	IVmaj7	
D#7	A7	G#m7	E7	B♭7	Amaj7	
V7/V	subV7/V	V7	V7/VI	subV7/VI	VIm7	VIIm7(b5)
F#7	C7	B7	G#7	D7	C#m7	D#m7(b5)

A

V7	subV7	I maj7	V7/II	subV7/II	IIm7	
E7	B♭7	Amaj7	F#7	C7	Bm7	
V7/III	subV7/III	IIIm7	V7/IV	subV7/IV	IVmaj7	
G#7	D7	C#m7	A7	E♭7	Dmaj7	
V7/V	subV7/V	V7	V7/VI	subV7/VI	VIm7	VIIm7(b5)
B7	F7	E7	C#7	G7	F#m7	G#m7(b5)

D

V7	subV7	I maj7	V7/II	subV7/II	IIm7	
A7	E♭7	Dmaj7	B7	F7	Em7	
V7/III	subV7/III	IIIm7	V7/IV	subV7/IV	IVmaj7	
C#7	G7	F#m7	D7	A♭7	Gmaj7	
V7/V	subV7/V	V7	V7/VI	subV7/VI	VIm7	VIIm7(b5)
E7	B♭7	A7	F#7	C7	Bm7	C#m7(b5)

G

V7	subV7	I maj7	V7/II	subV7/II	IIm7	
D7	A♭7	Gmaj7	E7	B♭7	Am7	
V7/III	subV7/III	IIIm7	V7/IV	subV7/IV	IVmaj7	
F#7	C7	Bm7	G7	D♭7	Cmaj7	
V7/V	subV7/V	V7	V7/VI	subV7/VI	VIm7	VIIm7(b5)
A7	E♭7	D7	B7	F7	Em7	F#m7(b5)

9-1. 화성 분석 – 도미넌트 세븐의 기본적인 12 key 해결

분석 위치 변화 ▶ C-F-B^b-E^b-A^b-D^b(C^#)-G^b(F^#)-B(C^b)-E-A-D-G

조성	2가지 도미넌트가 다이어토닉 코드로의 진행 / 12 Key subV7-V7-Imaj7의 진행은 V7이 완전5도 하행하여 Imaj7으로 해결하는 앞에서 subV7이 V7을 넘어서 반음 하행하여 Imaj7을 꾸미는 것이다.						
C	subV7 D^b7	V7 G7	Imaj7 Cmaj7	subV7/II E^b7	V7/II A7	IIm7 Dm7	
	subV7/III F7	V7/III B7	IIIm7 Em7	subV7/IV G^b7	V7/IV C7	IVmaj7 Fmaj7	
	subV7/V A^b7	V7/V D7	V7 G7	subV7/VI B^b7	V7/VI E7	VIm7 Am7	VIIm7^(b5) Bm7^(b5)
F	subV7 G^b7	V7 C7	Imaj7 Fmaj7	subV7/II A^b7	V7/II D7	IIm7 Gm7	
	subV7/III B^b7	V7/III E7	IIIm7 Am7	subV7/IV B7	V7/IV F7	IVmaj7 B^bmaj7	
	subV7/V D^b7	V7/V G7	V7 C7	subV7/VI E^b7	V7/VI A7	VIm7 Dm7	VIIm7^(b5) Em7^(b5)
B^b	subV7 B7	V7 F7	Imaj7 B^bmaj7	subV7/II D^b7	V7/II G7	IIm7 Cm7	
	subV7/III E^b7	V7/III A7	IIIm7 Dm7	subV7/IV E7	V7/IV B^b7	IVmaj7 E^bmaj7	
	subV7/V G^b7	V7/V C7	V7 F7	subV7/VI A^b7	V7/VI D7	VIm7 Gm7	VIIm7^(b5) Am7^(b5)
E^b	subV7 E7	V7 B^b7	Imaj7 E^bmaj7	subV7/II G^b7	V7/II C7	IIm7 Fm7	
	subV7/III A^b7	V7/III D7	IIIm7 Gm7	subV7/IV A7	V7/IV E^b7	IVmaj7 A^bmaj7	
	subV7/V B7	V7/V F7	V7 B^b7	subV7/VI D^b7	V7/VI G7	VIm7 Cm7	VIIm7^(b5) Dm7^(b5)

Key							
A♭	subV7 A7	V7 E♭7	I maj7 A♭maj7	subV7/II B7	V7/II F7	IIm7 B♭maj7	
	subV7/III D♭7	V7/III G7	IIIm7 Cm7	subV7/IV D7	V7/IV A♭7	IVmaj7 Dbmaj7	
	subV7/V E7	V7/V B♭7	V7 E♭7	subV7/VI G♭7	V7/VI C7	VIm7 Fm7	VIIm7$^{(b5)}$ Gm7$^{(b5)}$
D♭	subV7 D7	V7 A♭7	I maj7 D♭maj7	subV7/II E7	V7/II B♭7	IIm7 E♭m7	
	subV7/III G♭7	V7/III C7	IIIm7 Fm7	subV7/IV G7	V7/IV D♭7	IVmaj7 G♭maj7	
	subV7/V A7	V7/V E♭7	V7 A♭7	subV7/VI B7	V7/VI F7	VIm7 B♭m7	VIIm7$^{(b5)}$ Cm7$^{(b5)}$
G♭ (F♯)	subV7 G7	V7 D♭7	I maj7 G♭maj7	subV7/II A7	V7/II E♭7	IIm7 A♭m7	
	subV7/III B7	V7/III F7	IIIm7 B♭m7	subV7/IV C7	V7/IV G♭7	IVmaj7 C♭maj7(Bmaj7)	
	subV7/V D7	V7/V A♭7	V7 D♭7	subV7/VI E7	V7/VI B♭7	VIm7 E♭m7	VIIm7$^{(b5)}$ Fm7$^{(b5)}$
B	subV7 C7	V7 F♯7	I maj7 Bmaj7	subV7/II D7	V7/II G♯7	IIm7 C♯m7	
	subV7/III E7	V7/III A♯7	IIIm7 D♯m7	subV7/IV F7	V7/IV B7	IVmaj7 Emaj7	
	subV7/V G7	V7/V C♯7	V7 F♯7	subV7/VI A7	V7/VI D♯7	VIm7 G♯m7	VIIm7$^{(b5)}$ A♯m7$^{(b5)}$
E	subV7 F7	V7 B7	I maj7 Emaj7	subV7/II G7	V7/II C♯7	IIm7 F♯m7	
	subV7/III A7	V7/III D♯7	IIIm7 G♯m7	subV7/IV B♭7	V7/IV E7	IVmaj7 Amaj7	
	subV7/V C7	V7/V F♯7	V7 B7	subV7/VI D7	V7/VI G♯7	VIm7 C♯m7	VIIm7$^{(b5)}$ D♯m7$^{(b5)}$

A

sub V7	V7	I maj7		sub V7/II	V7/II	II m7	
B♭7	E7	Amaj7		C7	F♯7	Bm7	
sub V7/III	V7/III	III m7		sub V7/IV	V7/IV	IV maj7	
D7	G♯7	C♯m7		E♭7	A7	Dmaj7	
sub V7/V	V7/V	V7		sub V7/VI	V7/VI	VI m7	VII m7(b5)
F7	B7	E7		G7	C♯7	F♯m7	G♯m7(b5)

D

sub V7	V7	I maj7		sub V7/II	V7/II	II m7	
E♭7	A7	Dmaj7		F7	B7	Em7	
sub V7/III	V7/III	III m7		sub V7/IV	V7/IV	IV maj7	
G7	C♯7	F♯m7		A♭7	D7	Gmaj7	
sub V7/V	V7/V	V7		sub V7/VI	V7/VI	VI m7	VII m7(b5)
B♭7	E7	A7		C7	F♯7	Bm7	C♯m7(b5)

G

sub V7	V7	I maj7		sub V7/II	V7/II	II m7	
A♭7	D7	Gmaj7		B♭7	E7	Am7	
sub V7/III	V7/III	III m7		sub V7/IV	V7/IV	IV maj7	
C7	F♯7	Bm7		D♭7	G7	Cmaj7	
sub V7/V	V7/V	V7		sub V7/VI	V7/VI	VI m7	VII m7(b5)
E♭7	A7	D7		F7	B7	Em7	F♯m7(b5)

※음정과 숫자

음정 관계 - 도, 레, 미, 파, 솔, 라, 시, 도		
1, 2, 3, 4, 5, 6, 7, 8,		
-음정: 음과 음의 거리(높이가 다른 두음의 간격)		
*완전음정: 1-1, 1-4, 1-5, 1-8 ▶ (완전1도, 완전4도, 완전5도, 완전8도)		
*장음정: 1-2, 1-3, 1-6, 1-7 ▶ (장2도, 장3도, 장6도, 장7도)		
완전음정	1, 4, 5, 8	증음정 - ♯ 숫자
완전음정	1, 4, 5, 8	감음정 - ♭ 숫자
장음정	2, 3, 6, 7	단음정 - ♭ 숫자
장음정	2, 3, 6, 7	감음정 - (bb) = (°) = dim.

10. 어떤 Key에서 다른 Key와 교환

* 분석한 로마숫자를 보고 코드 네임 표기하기

C-F-B♭-E♭-A♭-D♭-G♭-B-E-A-D-G

조성	어떤 Key에서 다른 Key와 교환 (12 Key) */3, /5, /3으로 전위하여 베이스 선율라인 만들고 프라이머리 도미넌트 세븐으로 진행		
C (Ⅰ)	(Ⅴ7/Ⅳ/3), subⅤ7/Ⅲ C7/E F7 (Ⅳ7)	(Ⅴ7/Ⅱ/5), Ⅴ7/Ⅴ A7/E D7	Ⅴ7/Ⅴ/3, Ⅴ7 D7/F# G7
F (Ⅰ)	(Ⅴ7/Ⅳ/3), subⅤ7/Ⅲ F7/A B♭7 (Ⅳ7)	(Ⅴ7/Ⅱ/5), Ⅴ7/Ⅴ D7/A G7	Ⅴ7/Ⅴ/3, Ⅴ7 G7/B C7
B♭ (Ⅰ)	(Ⅴ7/Ⅳ/3), subⅤ7/Ⅲ B♭7/D E♭7 (Ⅳ7)	(Ⅴ7/Ⅱ/5), Ⅴ7/Ⅴ G7/D C7	Ⅴ7/Ⅴ/3, Ⅴ7 C7/E F7
E♭ (Ⅰ)	(Ⅴ7/Ⅳ/3), subⅤ7/Ⅲ E♭7/G A♭7 (Ⅳ7)	(Ⅴ7/Ⅱ/5), Ⅴ7/Ⅴ C7/G F7	Ⅴ7/Ⅴ/3, Ⅴ7 F7/A B♭7
A♭ (Ⅰ)	(Ⅴ7/Ⅳ/3), subⅤ7/Ⅲ A♭7/C D♭7 (Ⅳ7)	(Ⅴ7/Ⅱ/5), Ⅴ7/Ⅴ F7/C B♭7	Ⅴ7/Ⅴ/3, Ⅴ7 B♭7/D E♭7
D♭ (Ⅰ)	(Ⅴ7/Ⅳ/3), subⅤ7/Ⅲ D♭7/F G♭7 (Ⅳ7)	(Ⅴ7/Ⅱ/5), Ⅴ7/Ⅴ B♭7/F E♭7	Ⅴ7/Ⅴ/3, Ⅴ7 E♭7/G, A♭7
G♭ (Ⅰ)	(Ⅴ7/Ⅳ/3), subⅤ7/Ⅲ G♭7/B♭ C♭7 (Ⅳ7)	(Ⅴ7/Ⅱ/5), Ⅴ7/Ⅴ E♭7/B♭ A♭7	Ⅴ7/Ⅴ/3, Ⅴ7 A♭7/C D♭7
B (Ⅰ)	(Ⅴ7/Ⅳ/3), subⅤ7/Ⅲ B7/D# E7 (Ⅳ7)	(Ⅴ7/Ⅱ/5), Ⅴ7/Ⅴ G#7/D# C#7	Ⅴ7/Ⅴ/3, Ⅴ7 C#7/E# F#7
E (Ⅰ)	(Ⅴ7/Ⅳ/3), subⅤ7/Ⅲ E7/G# A7 (Ⅳ7)	(Ⅴ7/Ⅱ/5), Ⅴ7/Ⅴ C#7/G# F#7	Ⅴ7/Ⅴ/3, Ⅴ7 F#7/A# B7
A (Ⅰ)	(Ⅴ7/Ⅳ/3), subⅤ7/Ⅲ A7/C# D7 (Ⅳ7)	(Ⅴ7/Ⅱ/5), Ⅴ7/Ⅴ F#7/C# B7	Ⅴ7/Ⅴ/3, Ⅴ7 B7/D# E7
D (Ⅰ)	(Ⅴ7/Ⅳ/3), subⅤ7/Ⅲ D7/F# G7 (Ⅳ7)	(Ⅴ7/Ⅱ/5), Ⅴ7/Ⅴ B7/F# E7	Ⅴ7/Ⅴ/3, Ⅴ7 E7/G# A7
G (Ⅰ)	(Ⅴ7/Ⅳ/3), subⅤ7/Ⅲ G7/B C7 (Ⅳ7)	(Ⅴ7/Ⅱ/5), Ⅴ7/Ⅴ E7/B A7	Ⅴ7/Ⅴ/3, Ⅴ7 A7/C# D7

10-1. 어떤 Key에서 다른 Key와 교환

* 코드 네임을 보고 로마숫자 표기하기

C-F-B♭-E♭-A♭-D♭-G♭-B-E-A-D-G

조성	어떤 Key에서 다른 Key와 교환 (12 Key) */3, /5, /3으로 전위하여 베이스 선율라인 만들고 프라이머리 도미넌트 세븐으로 진행		
C (I)	C7/E　　　　F7 (IV7) (V7/IV/3),　subV7/III	A7/E　　　　D7 (V7/II/5),　V7/V	D7/F# 　　　G7 V7/V/3,　V7
F (I)	F7/A　　　　B♭7 (IV7) (V7/IV/3),　subV7/III	D7/A　　　　G7 (V7/II/5),　V7/V	G7/B　　　　C7 V7/V/3,　V7
B♭ (I)	B♭7/D　　　E♭7 (IV7) (V7/IV/3),　subV7/III	G7/D　　　　C7 (V7/II/5),　V7/V	C7/E　　　　F7 V7/V/3,　V7
E♭ (I)	E♭7/G　　　A♭7 (V7/IV/3),　subV7/III	C7/G　　　　F7 (V7/II/5),　V7/V	F7/A　　　　B♭7 V7/V/3,　V7
A♭ (I)	A♭7/C　　　D♭7 (IV7) (V7/IV/3),　subV7/III	F7/C　　　　B♭7 (V7/II/5),　V7/V	B♭7/D　　　E♭7 V7/V/3　V7
D♭ (I)	D♭7/F　　　G♭7 (IV7) (V7/IV/3),　subV7/III	B♭7/F　　　E♭7 (V7/II/5),　V7/V	E♭7/G　　　A♭7 V7/V/3,　V7
G♭ (I)	G♭7/B♭　　C♭7 (IV7) (V7/IV/3),　subV7/III	E♭7/B♭　　A♭7 (V7/II/5),　V7/V	A♭7/C　　　D♭7 V7/V/3,　V7
B (I)	B7/D# 　　　E7 (IV7) (V7/IV/3),　subV7/III	G#7/D# 　　C#7 (V7/II/5)　V7/V	C#7/E# 　　F#7 V7/V/3,　V7
E (I)	E7/G# 　　　A7 (IV7) (V7/IV/3),　subV7/III	C#7/G# 　　F#7 (V7/II/5),　V7/V	F#7/A# 　　B7 V7/V/3,　V7
A (I)	A7/C# 　　　D7 (IV7) (V7/IV/3),　subV7/III	F#7/C# 　　B7 (V7/II/5),　V7/V	B7/D# 　　　E7 V7/V/3,　V7
D (I)	D7/F# 　　　G7 (IV7) (V7/IV/3),　subV7/III	B7/F# 　　　E7 (V7/II/5),　V7/V	E7/G# 　　　A7 V7/V/3,　V7
G (I)	G7/B　　　　C7 (IV7) (V7/IV/3),　subV7/III	E7/B　　　　A7 (V7/II/5),　V7/V	A7/C# 　　　D7 V7/V/3,　V7

11. 연장하거나 꾸며주는 코드 활용

연장하거나 꾸며주는 코드로 활용 릴레이티드 Ⅱm7, 인터폴레이티드 Ⅱm7, 익스텐디드 dom7	
릴레이티드(related) Ⅱm7	*도미넌트 세븐을 완전5도 위에서 꾸며주고 연장해주는 기능을 한다. 모든 모달 인터체인지 코드는 반드시 분석한다. 단, related Ⅱm7으로 사용하는 경우 분석하지 않는다.
인터폴레이티드(interp olated) Ⅱm7	① 도미넌트 세븐(dom7)의 근음이 그대로 있으면서 성질만 마이너 세븐(m7)으로 바꾼다. ② Ⅴ7과 Ⅴ7 사이에 Ⅱm7을 사용하여 Ⅴ7을 꾸며준다. *예) Ⅴ7(Ⅴ7/Ⅱ)-Ⅱm7-Ⅴ7 ③ 근음이 완전5도 하행해야 한다. 인터폴레이티드 Ⅱm7이 사용되면 화살표를 길게 표시해야 하며 소리는 해결이 지연되는 느낌이 든다. 예) Ⅴ7(Ⅴ7/Ⅱ)-Ⅱm7-Ⅴ7의 진행에서 Ⅴ7(Ⅴ7/Ⅱ)과 Ⅴ7 중간에 위치한 Ⅱm7이 인터폴레이티드 Ⅱm7이다.
익스텐디드(Extended) dom7	*도미넌트 세븐이 보통 4개 이상 연결돼야 연속되는 패턴이 느껴진다. *보통 강박에서 시작하여 4개 이상의 dom7이 나와야 하며 근음은 완전5도 하행해야 하는 조건을 가진다. *시작 첫 번째 dom7에 숫자를 괄호 안에 표기한다. *숫자는 그 조성의 으뜸음에서 몇 번째 음부터 시작하는 도미넌트 세븐인지의 숫자이다. 예를 들어 내림 라장조 (D♭)라고 하면 F7(3) → B♭7 → E♭7 → Ⅴ7(A♭7) → Ⅰ /5(D♭/A♭)인데 분석 로마숫자를 쓰지 않고 dom7에서 dom7 으로의 진행은 완전5도씩 하행하므로 실선 화살표를 한다. 마지막(4번째) dom7에는 분석 기호를 쓴다. ① extended dom7의 기본형 ② related Ⅱm7이 추가된 형태 ③ subⅤ7이 추가된 형태가 있다.

12. 어보이드 노트(avoid note)

어보이드 노트(avoid note)
* 어보이드 노트는 멜로디에 쓸 수 있고 보이싱에는 쓸 수 없다.
* 코드 사운드에서 제외되어야 할 음. 코드 스케일의 구성음에는 스케일 노트(음계 구성음) 안에서 코드 톤이나 텐션 노트 어디에도 해당하지 않은 음을 '어보이드 노트'로 분류한다.
* 어보이드 노트는 어디까지나 코드 사운드를 만드는데 만 한정되어있는 스케일 노트와의 구별일 뿐이며, 멜로디라인 제작에 활용된다.
** 빌 에번스의 연주에서는 음정 간격과 서로 엇갈리게 하는 방식 등으로 어보이드 노트를 사용하였다.

13. 곡의 종지

곡의 종지	로마숫자	C 장조
① 도미넌트	V7 → I	G7 → C
② 서브도미넌트	IV → I, IIm7 → I	F → C, Dm7 → C
③ 서브도미넌트 마이너	IVm → I	Fm → C
④ 서브도미넌트 → 서브도미넌트 마이너	IV → IVm → I, IIm7 → IVm → I	F → Fm → C, Dm7 → Fm → C
⑤ 서브도미넌트 마이너 → 도미넌트	IVm → V7 → I	Fm → G7 → C
⑥ 서브도미넌트 → 서브도미넌트 마이너 → 도미넌트	IV → IVm → V7 → I, IIm7 → IVm → V7 → I	F → Fm → G7 → C, Dm7 → Fm → G7 → C
⑦ 서브도미넌트 → 도미넌트	IV → V7 → I, IIm7 → V7 → I	F → G7 → C, Dm7 → G7 → C
* 위에 제시한 종지와 빌 에번스의 곡 마침은 달랐다. 본 저서에서 분석한 에번스의 재즈 연주곡 5곡 중 3곡은 모달 인터체인지 코드로 곡을 마쳤고 세 번째 곡은 그 곡의 조성으로 종지하였지만 Imaj7/5 → subV7 → I로, 네 번째 곡은 그 곡의 조에서 4마디 전에 반음 내린 전조로 I → IV7 → I로 곡을 마쳤다.		

- 〈부록 2〉 -

〈버드 파웰 음반 목록〉

버드 파웰(Bud Powell)의 음반53)		
순서	년도	스튜디오 레코딩(Studio recordings)
1	1947	Bud Powell Trio (Roost)
2	1949-50	Bud Powell Piano Solos (Mercury / Clef) aka (½ of) Jazz Giant (Norgran / Verve)
3	1949-51	The Amazing Bud Powell
4	1950	Bud Powell Piano Solos No. 2 (Mercury / Clef) aka (½ of) Jazz Giant (Norgran / Verve)
5	1950-51	Bud Powell's Moods (Mercury / Clef) aka The Genius of Bud Powell (Verve)
6	1953	The Amazing Bud Powell, Vol. 2 (Blue Note)
7	1953	Bud Powell Trio, Volume 2 (Roost)
8	1954-55	Bud Powell's Moods (Norgran / Verve)
9	1954-55	Jazz Original (Norgran) aka Bud Powell '57 (Norgran / Verve)
10	1955	The Lonely One... (Verve)
11	1955	Piano Interpretations by Bud Powell (Norgran / Verve)
12	1956	Blues in the Closet (Verve)
13	1956	Strictly Powell (RCA Victor)
14	1957	Swingin' with Bud (RCA Victor)
15	1957	Bud! The Amazing Bud Powell (Vol. 3) (Blue Note)
16	1957-58	Bud Plays Bird (Roulette / Blue Note)
17	1958	Time Waits: The Amazing Bud Powell (Vol. 4) (Blue Note)
18	1958	The Scene Changes: The Amazing Bud Powell (Vol. 5) (Blue Note)
19	1961	A Tribute to Cannonball (Columbia)
20	1961	A Portrait of Thelonious (Columbia)

21	1963	Bud Powell in Paris (Reprise) Live and home recordings
		라이브 및 홈 레코딩(Live and home recordings)
1	1944-48	Earl Bud Powell, Vol. 1: Early Years of a Genius, 44 - 48 (Mythic Sound)
2	1953	Winter Broadcasts 1953 (ESP-Disk)
3	1953	Spring Broadcasts 1953 (ESP-Disk)
4	1953	Inner Fires (Elektra)
5	1953	Summer Broadcasts 1953 (ESP-Disk)
6	1953	Autumn Broadcasts 1953 (ESP-Disk)
7	1953	Live at Birdland (Queen Disc [Italy])
8	1953-55	Earl Bud Powell, Vol. 2: Burnin' in U.S.A., 53 - 55 (Mythic Sound)
9	1957-59	Earl Bud Powell, Vol. 3: Cookin' at Saint-Germain, 57 - 59 (Mythic Sound)
10	1959-60	Bud in Paris (Xanadu)
11	1959-61	Earl Bud Powell, Vol. 5: Groovin' at the Blue Note, 59 - 61 (Mythic Sound)
12	1960	The Essen Jazz Festival Concert (Black Lion)
13	1960-64	Earl Bud Powell, Vol. 11: Gift for the Friends, 60 - 64 (Mythic Sound)
14	1961	Pianology (Moon [Italy])
15	1961-64	Earl Bud Powell, Vol. 4: Relaxin' at Home, 61-64 (Mythic Sound)
16	1962	Bud Powell Live in Lausanne 1962 (Stretch Archives)
17	1962	Bud Powell Live in Geneva (Norma [Japan])
18	1962	Bud Powell Trio at the Golden Circle, Vols. 1 - 5 (SteepleChase)
19	1962	Budism (SteepleChase)
20	1962	1962 Copenhagen (SteepleChase)
21	1962	1962 Stockholm-Oslo (SteepleChase)
22	1962	Bouncing with Bud (Sonet)

23	1962	'Round About Midnight at the Blue Note (Dreyfus Jazz)
24	1962-64	Bud Powell at Home – Strictly Confidential (Fontana)
25	1963	Earl Bud Powell, Vol. 6: Writin' for Duke, 63 (Mythic Sound)
26	1963	Americans in Europe (multiple groups, Impulse!)
27	1964	Earl Bud Powell, Vol. 7: Tribute to Thelonious, 64 (Mythic Sound)
28	1964	Blues for Bouffemont aka The Invisible Cage (Fontana)
29	1964	Hot House (Fontana)
30	1964	Earl Bud Powell, Vol. 8: Holidays in Edenville, 64 (Mythic Sound)
31	1964	The Return of Bud Powell (Roulette)
31	1964	Earl Bud Powell, Vol. 9: Return to Birdland, 64 (Mythic Sound)
32	1964	Earl Bud Powell, Vol. 10: Award at Birdland, 64 (Mythic Sound)
33	1964	Ups'n Downs (Mainstream)
	주목할만한 편집(Notable compilations)	
1	Tempus Fugue-It (Proper) – Four disc set, from 1944 recordings with Cootie Williams to the first sessions for Blue Note and Clef in 1949 - 50.	
2	The Complete Bud Powell on Verve – Five discs, sessions from 1949 to 1956.	
3	The Best of Bud Powell on Verve – Single disc compilation.	
4	The Best of Bud Powell (Blue Note) – Single disc compilation.	
5	The Complete Blue Note and Roost Recordings – Four disc set containing all of the Amazing Bud Powell... Blue Note sessions plus Roost sessions from 1947 and 1953.	
6	The Blue Note sessions have also been remastered and reissued as individual CDs (though the Roost material is not included).	
7	The Complete RCA Trio Sessions – Contains Swingin' with Bud and Strictly Powell.	

---

53) The New Grove Dictionary of Music and Musicians, Bud Powell.

- 〈부록 3〉 -

〈오스카 피터슨 음반 목록〉

순서	년도	오스카 피터슨의 음반54)	연주자	음반사
1	1945	I Got Rhythm	Oscar Peterson	RCA
2	1947	Rockin' in Rhythm		RCA
3	1950	Oscar Peterson at Carnegie Hall		Mercury
4	1951	Oscar Peterson Plays Cole Porter		Mercury
5	1952	Lester Young with the Oscar Peterson Trio	with Lester Young	Mercury
6	-	The Astaire Story	with Fred Astaire	Norgran
7	-	Alone Together	with Benny Carter	Norgran
8	-	Cosmopolite	with Benny Carter	Norgran
9	-	Oscar Peterson Plays Duke Ellington		Mercury
10	-	Oscar Peterson Plays George Gershwin		Mercury
11	-	The Oscar Peterson Quartet	Barney Kessel, Ray Brown, Alvin Stoller	Mercury
12	-	The Drum Battle	Gene Krupa, Buddy Rich	Verve
13	-	Basie Jazz	Count Basie	Clef
14	-	Rockin' Chair	Roy Eldridge,	Clef
15	1953	Dale's Wail	Roy Eldridge,	Clef
16	1954	Lionel Hampton Plays Love Song	Lionel Hampton	Clef
17	-	Hamp's Big Four	Lionel Hampton	Clef
18	-	Little Jazz	Roy Eldridge, Dizzy Gillespie	Clef

19	–	Rock with Flip	Phillip Phillips	Clef
20	–	Buddy DeFranco and Oscar Peterson Play George Gershwin	Buddy DeFranco	Clef
21	–	Oscar Peterson Plays Harold Arlen		Clef
22	–	Oscar Peterson Plays Vincent Youmans		Clef
23	–	Romance – The Vocal Styling Of Oscar Peterson	Ray Brown, Barney Kessel, Herb Ellis	Clef
24	–	Benny Carter Plays Pretty	Benny Carter	Norgran
25	–	New Jazz Sounds	Benny Carter	Norgran
26	1955	Sing and Swing with Buddy Rich	Buddy Rich	Norgran
27	–	Ralph Burns Among the JATP's	Ralph Burns	Norgran
28	–	The Wailing Buddy Rich	Buddy Rich	Norgran
29	–	Oscar Peterson Plays Count Basie		Clef
30	–	In a Romantic Mood		Verve
31	1956	Nostalgic Memories		Verve
32	–	Krupa and Rich	Gene Krupa, Buddy Rich	Verve
33	–	Pres and Sweets	Lester Young, Harry "Sweets" Edison	Verve
34	–	Toni	Toni Harper	Verve
35	–	Ellis in Wonderland	Herb Ellis	Verve
36	–	Oscar Peterson at the Stratford Shakespearean Festival	Herb Ellis	Verve
37	–	Ella and Louis	Ella Fitzgerald, Louis Armstrong	Verve

38	1957	Anita Sings the Most	Anita O'Day	Verve
39	–	Gee Baby, Ain't I Good to You	Harry "Sweets" Edison	Verve
40	–	Stuff Smith	Stuff Smith	Verve
41	–	Soft Sands		Verve
42	–	The Oscar Peterson Trio with Sonny Stitt, Roy Eldridge and Jo Jones at Newport	Sonny Stitt, Roy Eldridge, Jo Jones	Verve
43	–	Ella and Louis Again	Ella Fitzgerald, Louis Armstrong	Verve
44	–	Going for Myself	Lester Young, Harry Edison	Verve
45	–	Jazz Giants '58	Stan Getz, Gerry Mulligan, Harry "Sweets" Edison	Verve
46	–	Stan Getz and the Oscar Peterson Trio	Stan Getz	Verve
47	–	Only the Blues	Sonny Stitt	Verve
48	–	Louis Armstrong Meets Oscar Peterson	Louis Armstrong	Verve
50	–	Soulville	Ben Webster	Verve
51	–	The Genius of Coleman Hawkins	Coleman Hawkins	Verve
52	–	Coleman Hawkins Encounters Ben Webster	Coleman Hawkins	Verve
53	–	Coleman Hawkins and Confrères	Coleman Hawkins	Verve
54	–	Ella Fitzgerald Sings the Duke Ellington Song Book	Ella Fitzgerald	Verve

55	–	At the Opera House	Ella Fitzgerald	Verve
56	–	Stan Getz and J. J. Johnson at the Opera House	Stan Getz, J. J. Johnson	Verve
57	1958	Oscar Peterson at the Concertgebouw	Herb Ellis	Verve
58	–	Ella in Rome: The Birthday Concert	Ella Fitzgerald	Verve
59	–	Smooth Operator	Dorothy Dandridge	Verve
60	–	This Is Ray Brown	Ray Brown	Verve
61	–	On the Town with the Oscar Peterson Trio		Verve
62	–	My Fair Lady		Verve
63	1959	Sonny Stitt Sits in with the Oscar Peterson Trio	Sonny Stitt	Verve
64	–	A Jazz Portrait of Frank Sinatra		Verve
65	–	The Jazz Soul of Oscar Peterson		Verve
66	–	Oscar Peterson Plays the Duke Ellington Song book		Verve
67	–	Oscar Peterson Plays the George Gershwin Songbook		Verve
68	–	Oscar Peterson Plays the Richard Rodgers Songbook		Verve
69	–	Oscar Peterson Plays the Jerome Kern Songbook		Verve
70	–	Oscar Peterson Plays the Cole Porter Songbook		Verve
71	–	Oscar Peterson Plays the Harry Warren Songbook		Verve
72	–	Oscar Peterson Plays the Irving Berlin Songbook		Verve

73	–	Oscar Peterson Plays the Harold Arlen Songbook		Verve
74	–	Oscar Peterson Plays the Jimmy McHugh Songbook		Verve
75	–	Oscar Peterson Plays the Vincent Youmans Songbook		Verve
76	–	Oscar Peterson Plays Porgy & Bess		Verve
77	–	Swinging Brass with the Oscar Peterson Trio		Verve
78	–	Ben Webster Meets Oscar Peterson	Ben Webster	Verve
79	1960	Fiorello!		Verve
80	1961	The Trio	live at the London House	Verve
81	–	The Sound of the Trio	live at the London House	Verve
82	–	Very Tall	Milt Jackson	Verve
83	–	The London House Sessions	live, released 1997	Verve
84	1962	Affinity	live at the London House	Verve
85	–	Something Warm	live at the London House	Verve
86	–	Put On a Happy Face		Verve
87	1963	Night Train		Verve
88	–	Bill Henderson with the Oscar Peterson Trio	Bill Henderson	Verve
89	–	Oscar Peterson and Nelson Riddle	Nelson Riddle	Verve
90	–	Oscar Peterson Trio Live in Cologne 1963 – (Recorded live April 27th,	Ray Brown(Bass),	Jazz line WDR

				The Cologne Broadcast N77018
		1963)	Ed Thigpen(Drums)	
91	1964	The Oscar Peterson Trio Plays	·	
92	–	The Oscar Peterson Trio In Tokyo 1964		
93	–	Oscar Peterson Trio + One	Clark Terry	Verve
94	–	Canadiana Suite		Limelight
95	–	We Get Requests		Verve
96	1965	I/We Had a Ball		Limelight
97	–	Eloquence		Limelight
98	–	With Respect to Nat		Limelight
99	–	Blues Etude		Limelight
100	–	More Swinging Standards		Verve
101	1966	Soul Español		
102	1967	The Greatest Jazz Concert in the World		Pablo
103	1968	Exclusively for My Friends: The Lost Tapes		MPS
104	–	Exclusively for My Friends		MPS
105	–	Action		MPS
106	–	Girl Talk		MPS
107	–	The Way I Really Play		MPS
108	–	My Favorite Instrument		MPS
109	–	Mellow Mood		MPS
110	–	Travelin' On		MPS
111	1969	Motions and Emotions		MPS

112	–	Hello Herbie		MPS
113	1970	Tristeza on Piano		MPS
114	–	Walking the Line		MPS
115	–	Another Day		MPS
116	–	Tracks		MPS
117	1971	In Tune		MPS
118	–	Reunion Blues	Milt Jackson	MPS
119	–	Great Connection		MPS
120	1972	During This Time	Ben Webster	Art of Groove
121	–	The Oscar Peterson Trio in Tokyo		Denon
122	–	Jazz at Santa Monica Civic '72	various artists	Pablo
123	–	Solo		Pablo
124	–	The History of an Artist, Vol. 1		Pablo
125	–	The History of an Artist, Vol. 2		Pablo
126	1973	The Trio	Joe Pass(g), Niels-Henning Orsted Pedersen(b)-Grammy Award for Best Jazz Performance, Group	Pablo
127	–	The Good Life		Pablo
128	1974	Terry's Tune	Count Basie	Pablo
129	–	Basie and Friends		Pablo
130	–	Oscar Peterson in Russia		Pablo
131	–	Oscar Peterson and Dizzy Gillespie	Dizzy Gillespie	Pablo
132	–	Oscar Peterson and the Trumpet Kings - Jousts	Grammy Award for Best Jazz	Pablo

			Performance by a Soloist	
133	–	Satch and Josh	Count Basie	Pablo
134	–	The Giants	Joe Pass, Ray Brown-Grammy Award for Best Jazz Performance by a Soloist	Pablo
135	–	Oscar Peterson and Roy Eldridge	Roy Eldridge	Pablo
136	–	Oscar Peterson and Harry Edison	Harry "Sweets" Edison	Pablo
137	1975	Oscar Peterson et Joe Pass à Salle Pleyel	with Joe Pass	Pablo
138	–	Oscar Peterson and Clark Terry	Clark Terry same sessions as Oscar Peterson Trio + One	Pablo
139	–	Ella and Oscar	Ella Fitzgerald	Pablo
140	–	Jazz Maturity... Where It's Coming From	Roy Eldridge, Dizzy Gillespie	Pablo
141	–	Happy Time	Roy Eldridge	Pablo
142	–	Oscar Peterson and Jon Faddis	Jon Faddis	Pablo
143	–	Zoot Sims and the Gershwin Brothers	Zoot Sims	Pablo
144	–	The Oscar Peterson Big 6 at Montreux		Pablo
145	–	The Trumpet Kings at Montreux '75	Roy Eldridge, Clark Terry, Dizzy Gillespie	Pablo
146	–	The Milt Jackson Big 4 at the Montreux Jazz Festival 1975	Milt Jackson	Pablo

147	–	The Tenor Giants Featuring Oscar Peterson	Zoot Sims, Eddie "Lockjaw" Davis	Pablo
148	1976	Porgy and Bess	Joe Pass	Pablo
149	1977	Roy Eldridge 4 - Montreux '77	Roy Eldridge	Pablo
150	–	Oscar Peterson Jam - Montreux '77	Grammy Award for Best Jazz Performance by a Soloist	Pablo
151	–	The Pablo All-Stars Jam - Montreux '77	various artists	Pablo
152	–	Oscar Peterson and the Bassists - Montreux '77	various artists	Pablo
153	–	Eddie "Lockjaw" Davis 4 - Montreux '77	Eddie "Lockjaw" Davis	Pablo
154	–	Satch and Josh...Again	Count Basie	Pablo
155	1978	Night Rider	Count Basie	Pablo
156	–	Count Basie Meets Oscar Peterson - The Timekeepers	Count Basie	Pablo
157	–	Yessir, That's My Baby	Count Basie	Pablo
158	–	How Long Has This Been Going On?	Sarah Vaughan	Pablo
159	–	Linger Awhile: Live at Newport and More		Pablo
160	–	The Paris Concert		Pablo
161	–	The London Concert		Pablo
162	1979	The Silent Partner		Pablo
163	–	Ain't Misbehavin'	Clark Terry	Pablo
164	–	Night Child	Joe Pass, Niels - Henning Orsted Pedersen, Louie Bellson	Pablo

165	–	Skol	Joe Pass, Stephane Grappelli, Mickey Roker	Pablo
166	–	Digital at Montreux		Pablo
167	1980	The Personal Touch		Pablo
168	–	The Trumpet Summit Meets the Oscar Peterson Big 4	Dizzy Gillespie, Freddie Hubbard, Clark Terry	Pablo
169	–	The Alternate Blues	Dizzy Gillespie, Freddie Hubbard, Clark Terry	Pablo
170	–	Live at the North Sea Jazz Festival, 1980		Pablo
171	1981	A Royal Wedding Suite		Pablo
172	–	Nigerian Marketplace		Pablo
173	–	Ain't But a Few of Us Left	Milt Jackson, Ray Brown, Grady Tate	Pablo
174	1982	Freedom Song		Pablo
175	–	Face to Face	Freddie Hubbard	Pablo
176	–	Oscar Peterson with Clark Terry	Clark Terry	Pablo
177	1983	Two of the Few	Milt Jackson	Pablo
178	–	azz at the Philharmonic - Yoyogi National Stadium, Tokyo 1983: Return to Happiness	various artists	Pablo
179	–	A Tribute to My Friends		Pablo
180	–	If You Could See Me Now		Pablo
181	1985	Hark	Buddy DeFranco	Pablo
182	1986	Oscar Peterson Live!		Pablo

183	–	Time After Time		Pablo
184	–	Oscar Peterson, Harry Edison, Eddie "Cleanhead" Vinson	Eddie "Cleanhead" Vinson, Harry "Sweets" Edison	Pablo
185		Benny Carter Meets Oscar Peterson	Benny Carter	Pablo
186	1987	Oscar Peterson Plays Jazz Standards		Verve
187	1990	Live at the Blue Note	Grammy Award for Best Jazz Instrumental Performance by a Soloist, Group	Telarc
188	1991	Saturday Night at the Blue Note	Grammy Award for Best Jazz Instrumental Performance, Group	Telarc
189	–	Last Call at the Blue Note		Telarc
190		Encore at the Blue Note		Telarc
191	1992	In the Key of Oscar		Vision
192	1993	En Concert Avec Europe1	Brown, Thigpen, Others include Bobby Durham, Louise Hayes, Sam Jones, Roy Eldridge on two tracks.	RTÉ / Trema
193	1994	Side by Side	Itzhak Perlman	Telarc
194	–	Some of My Best Friends Are...The Piano Players	Ray Brown	Telarc
195	1995	The More I See You	Benny Carter, Clark Terry, Ray Brown	Telarc

196		An Oscar Peterson Christmas		Telarc
197	1996	Oscar Peterson Meets Roy Hargrove and Ralph Moore	Roy Hargrove, Ralph Moore	Telarc
198	-	Oscar in Paris		Telarc
199	1997	A Tribute to Oscar Peterson - Live at the Town Hall		Telarc
200	-	Live at CBC Studios, 1960	Brown, Thigpen	Just A Memory
201	1998	Oscar and Benny	Benny Green	Telarc
202	1999	Summer Night in Munich		Telarc
203	-	The Very Tall Band: Live at the Blue Note		Telarc
204	2000	Trail of Dreams: A Canadian Suite	Michel Legrand	Telarc
205	2004	A Night in Vienna		Verve
206	2007	The Very Tall Band: What's Up?		Telarc

---

54) The New Grove Dictionary of Music and Musicians, Oscar Peterson.